할 말이 있어

## 할 말이 있어

**발  행** | 2024년 03월 04일
**저  자** | 김민주
**펴낸이** | 한건희
**펴낸곳** | 주식회사 부크크
**출판사등록** | 2014.07.15.(제2014-16호)
**주  소** | 서울특별시 금천구 가산디지털1로 119 SK트윈타워 A동 305호
**전  화** | 1670-8316
**이메일** | info@bookk.co.kr
**저자 이메일** | a.moo22ee@gmail.com

**ISBN** | 979-11-410-7474-6

www.bookk.co.kr

# 할 말이 있어

김민주 지음

# CONTENT

# 할
# 말
# 이
# 있
# 어

김민주 지음

—

　여보세요.

　수화기 너머로 장난스러운 목소리가 넘어온다. 목소리야 아무래도 상관없다는 듯이 뒤죽박죽으로 소리를 낸. 높낮이가 다른 소리가 수화기에서 툭, 툭 튀어나오더니 고무공처럼 통탕통탕 귓바퀴를 치고 들어온다. 들쑥날쑥, 괴상한 소리, 나도 그 소리를 따라 엉망진창인 목소리를 낸다.

　여보세요.

　엄마, 뭐해?

　항상 이렇게 전화가 걸려온다. 불과 몇 년 전만 해도, 전화를 먼저 해오는 일이 통 없었다. 기껏 해봐야 '주인아저씨가 아직 월세 안 들어왔다던데', '이번 달에는 가기 힘들 것 같은데? 공모전 준비해야 해.'같은 얘기를 하는 게 전부였고, 그 전부가 끝나면 어김없이 전화는 끊겼다. 이미 제멋대로 꺼져서 캄캄해진 핸드폰 화면을 가만히 쳐다보다 버튼을 눌러 다시 켜면 그 애 이름 밑으로 채 5분을 넘기지 못한 통화 기록들이 줄을 지어 있었다. 그러던 애가 요즘 들어 심심하다며 전화를 해오는 일이 부쩍 늘었다.

무청 다듬어, 나물 무쳐 먹으려고. 왜? 심심해?

응, 바빠?

그리곤 별일 아닌 이야기들이 줄줄줄 흘러나온다. 지난 저녁 동생과 무얼 했는지, 공부를 어떻게 하고 있는지, 도서관 앞의 나뭇잎이 어쨌다든지 하는 얘기들을 한다. 매일 있는 이야기들, 별난 것 없는 이야기들. 나는 그 얘기를 들으며 무심코 웃다가도 잠깐의 적막을 틈타 전화를 끊을 시간을 재고 있다.

엄마, 사실 할 말이 있어.

무슨 할 말이기에 이렇게 긴 시간 아무런 얘기들을 하면서 시간을 질질 끌었을까. 이미 깨끗하게 다듬어졌으면서 미처 손 밖으로 빠져나가지 못한 이파리 한 장을 손톱 끝으로 짓이긴다.

그 애가 할 말이 있다고 했을 땐, 늘 대단한 일이곤 했다. 아프단 기색도 없이 학교에 잘만 다녀온 애가 엄마, 나랑 같이 보건소에 가줘, 하고 연락이 와선 애아빠가 따라가 보니 신종플루에 걸려버린 후였다. 누군 죽었고, 누군 며칠을 앓아 누웠다더니 아프지도 않았냐 물으니 아프긴 했어, 하더랬다. 무슨 일이 있느냐, 왜 우느냐, 물을 땐 아무 말도 않고 눈물 만 하염없이 쏟아 대다 할 말이 있다고 했을 땐 고등학교를 자퇴하겠단 소리였다. 고3 가을 어느 날엔 며칠 동안 집에서 정말 말 한마디도 없이 잠만 자고 학교에만 오가길 반복하더 니 안방에 와 애 아빠와 내 앞에 앉아 할 말이 있다고 했다. 수시 실기에서 떨어졌다는 이야기였고 우리가 언제 발표가 났느냐 하니 벌써 며칠이 됐다고 했었다. 그 며칠 동안 혼자 끙끙 앓다 제가 좀 괜찮아져서야 우리를 찾아온 것이다. 그 말을 하는 애 얼굴에서 이미 지친 기색이 완연하고, 열아홉 답지 않은 고단함이 그 애가 거실을 지나쳐 안방으로 들어오 기까지 밟아온 방바닥에 뚝뚝 떨어져 있어 아무 말도 할 수 가 없었다. 멍하니 쳐다보다 괜찮아, 정시도 남았으니까, 라 니 그제야 눈물을 툭툭 떨어뜨렸다.

  그 애는 그런 애였다. 혼자 끙끙 앓다가, 그런 걸 말하는 건 배워본 적이 없는 것처럼, 얘기해선 안 되는 일인 것처럼 혼 자만 알고 있다가 제 혼자 다 앓았다 싶으면 그제야 우리를 찾아왔다. 정시 원서를 넣어두었던 세 군데 학교에서 끝끝내 아무런 소식이 없던 어느 날, 그때는 딸애가 몇 날 며칠을 앓았다. 지독한 몸살에 걸려 밥도 물도 못 마시고 끙끙 앓으며 누워만 있었다. 열이 오르락내리락하면서 저절로 흐른 눈물에 베개 끄트머리가 축축해졌다. 그러다 병세가 좋아져 일어나선 여기저기 쏘다니기 시작하더니 한다는 말이 재수할래, 였다. 전문대라도 들어가자 설득하는 나와 남편 앞에서 엄마, 아빠는 왜 자길 믿어주지 못하느냐며 소리를 고래고래 질러대다 다음날 홀연히 거제도로 여행을 가버렸다. 혼자 아직 감기 기운이 달린 몸뚱이를 끌고 학교며 학원이며 돌아다니면서 재수 상담을 마친 후였다. 딸애가 없는 사이 남편이 넣어놓은 원서, 그리고 합격 소식과 함께 아이는 별다른 말 없이 그대로 입학을 하더니 첫 학기에 수석을 받아왔다. 그런 일이 있을 때마다 나와 남편은 고비를 넘어가려고, 딸애의 고비를 넘겨주려고 애를 썼다. 그럼 아이는 다시 일어섰다. 내가 손을 내밀어야 넘어진 자리에서 일어나 섰다. 제 딴엔 혼자 일어났다고 생각했는지도 모르지만 내게 할 말이 있다며 찾아올 때는 늘 지독하게 아픈 얼굴로 찾아왔고, 이미 넘어져서 상처가 그득한 상태였다. 그럼 또 손을 내밀고, 그럼 엉거주춤하게라도 내 손을 잡고 일어섰다. 아이는 그렇게 컸다. 그러나 딸애도, 나도, 그 넘어짐은 여전히 아프기에, 아직 익숙지 못해졌나 보다. 아이는 늘 그렇게 망설임 끝에 할 말이 있단 말을 꺼냈고, 나는 한 번 더 망설임을 더했다. 혼자 어느 것을 또 앓다 이제야 얘기해주는 것일까 걱정이 되어서. 애꿎은 어린 무청을 손끝에서 짓이기며. 짓이겨진 무청의 끝을 쳐다보다 입을 열었다.

뭔데?

딸애가 우물쭈물하는 동안에 그 틈으로 들려오는 입술이 달싹대는 소리에서 딸애의 표정이 떠오른다. 곧 울 것 같기도, 그러다간 입을 악 다물고 눈물이 나오는 걸 참을 것이다. 그리고는 이 이상은 누를 힘이 없다는 듯이 소리도 없이 볼을 타고 눈물이 툭툭툭 떨어질 것이다.

엄마, 나 상담을 다시 다니기로 했어. 오늘 갔다 왔어.

딸애가 대학교에 들어가고 1년 반 정도 지났을 때, 그때도 이렇게 얘기했었다. 할 말이 있다며 전화를 걸어와선, 심리상담을 받게 되었다고 얘기했다. 그때도 말을 하기에 앞서 입술이 달싹거리는 소리를 한참 동안 전화기를 사이에 두고 듣고 있었다. 그때 나는 무얼 하고 있었더라. 뭘 하다 그 전화를 받았는지는 기억이 안 나지만 꽤 충격을 받았던 기억이 난다. 네가 상담을 왜 받아? 머릿속 가득, 똑같은 질문이 떠오르고 또 떠올랐다. 네가 상담을 왜? 네가 뭐가 모자라서, 내가 뭘 모자라게 해줘서?

그래?

응, 그냥, 요새, 음.

말을 고르는 모습. 아이는 곧잘 이렇게 말을 고른다. 짧은 한마디를 할 때에도, 한마디 한마디를 고르고 골라 말한다.

요새, 음, 그냥, 힘든 것 같아서 좀, 고민해 보다가 지난주에 전화해서 예약하고 오늘 다녀왔어.

의미 없는 음절들을 순서만 바꿔서 여러 번 반복하다 이윽고 할 말을 모두 골랐는지 그 후는 줄줄 말이 쏟아져 나왔다. 나는 쏟아져 나온 말들을 다시 한번 맞춰 본다. 힘들었고, 그래서 고민을 했고, 그래서 예약을 하고, 오늘 다녀왔구나. 왜? 뭐가 힘든데? 입 밖으로 나오지 못한 말들이 치아 안쪽을 툭툭 두드린다. 내보내 달라고.

그래? 잘했어. 도움받을 수 있으면 좋지.

엄마, 음.

다시 또 말을 고르는 시간. 나는 아무 말도 하지 않고 무슨 말들 가운데 말을 고르고 있을까 상상해본다. 뭐가 힘든지? 그걸 얘기해주려나. 아니면, 내 탓을 하진 않으려나.

엄마, 내가 다시 상담을 다녀도 되는 걸까? 벌써 예전에, 그, 전에 상담받을 때 엄청 오랫동안 했잖아.

아이는 말을 고르는 것과 함께 울지 않겠다는 마음도 함께 골랐는지 마디 사이사이 울음을 참는, 그 먹먹한 소리를 붙여가며 말을 한다. 3년 정도 받았던가. 대학교에 간 후에, 심리학 교양수업에서 과제를 받았다고 했었다. 심리검사를 받고 그걸 분석하는 레포트를 써오라고 했단다. 그런데 우리 아이에게 주어진 과제는 그뿐만이 아니었다. 결과지를 받으러 간 날, 그곳의 담당자가 얇은 파일을 건네며 면담을 하자 했단다. 얼떨떨한 마음으로 면담을 잡곤 그 후로 심리상담을 받았다. 가서 무슨 이야기를 했었는지는 모른다. 아이는 거기까지만 얘기했다, 늘. 무엇 때문에 힘든 건지, 무엇 때문에 심리상담을 받아야 하는지, 나는 모른다. 알고 싶었지만 굳이 묻진 않았다. 아니, 묻지 못했다. 꼭 닫힌 딸애의 입에서 어떤 이야기가 나올지 모르겠어서. 그 얘기를 듣는 내가 무슨 말을 하게 될지 나도 짐작이 되질 않아서. 종종 전화를 하면 너무 더워서 쓰러질 것 같다며, 자취방에 들어가면 에어컨부터 틀어놓고 샤워를 한다며 나불대던 딸애는 그 후로 점점 전화하는 횟수가 줄어들더니 셔틀버스를 타고 한 시간이면 오는 집에 오는 횟수도 줄었다. 막내아들이 큰누나가 오는 날을 손꼽아 기다리곤 했다. 그런 얘기를 딸애에게 전해줘도 그저 '그래?'하고 말 뿐이었다.

 힘들면 또 받을 수도 있는 거지. 다른 사람들은 상담을 받아본 적이 없으니까, 그곳에서 도움받을 생각을 못 할 뿐인지도 몰라. 그런데 왜 또 받으면 안 되겠어. 그런 이유는 없어.

 엄마, 그게. 벌써 3년을 했는데. 또, 또. 또. 또 이렇게 됐다는 게. 그게.

 왜, 그게 잘못된 것 같아? 그만큼이나 받았는데도 힘든 게 남았다는 게? 그게 무슨 상관이야. 막 구제 불능인 것 같고 그래? 그래서 그래?

 답답한 마음을 따라 말이 여기저기로 튀어나간다. 마치 안으로 쏟아져 들어오는 물살이 가득 차는 것을 피해 어떻게든 밖으로 나가려고 팔다리를 휘젓는 것처럼. 팔다리가 물 밖으로 나갔다가, 물 안으로 들어왔다가, 있는 힘껏 휘적대는 사이에 전화기 너머에서는 끅끅 우는 소리가 들린다.

어어, 구제 불능인 것 같잖아아. 언제까지고 이렇게만 살아
야 할 것 같아서.

말을 고르는 틈 없이 빠져나온 딸애의 있는 그대로의 말들
에는 절망과 슬픔이 엉겨 붙어 있었다.

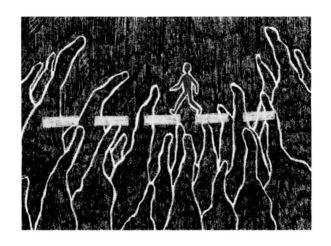

–

 밥 안 먹어! 학교 보내달라고!

 애가 진짜 왜 이래, 누가 학교 안 보낸대? 가라니까, 가라고.

 나도 안다. 우리 집 형편은 누구보다 잘 안다. 오빠가 하나, 그리고 나, 아래로 남동생 하나, 그 아래로 여동생이 둘. 오빠는 재작년에 시내에 있는 일반계 고등학교에 진학했다. 그리고 이제 곧 내 차례다. 이 시골을 벗어나서 나도 시내로 나가야지, 철마다 농사일을 돕는 일은 이제 그만 두고 싶다. 낡아빠진 신을 신고 한 시간씩 걸어 학교에 가는 것도, 아직 초등학생인 동생에게 낫질을 가르쳐주는 일도 이제 그만하고 싶다. 나이를 먹고 어른이 된다면 농사를 지을 생각은 눈곱만큼도 없다. 공부를 열심히 해서, 그래서 성적이 좋으면 당연히 나도 시내의 고등학교에 갈 수 있을 것이라고 생각했다. 작년 말에 다리를 다치면서 잠시 공부를 소홀히 한 사이에 성적이 훅훅 떨어지긴 했지만 그래도 시내의 고등학교로 진학할 수 있는 성적은 된다. 그래도 이 정도면 시험을 보고 들어가는 학교에도 무난히 진학할 수 있을 것이다. 어찌 되었든 나는 일반계 고등학교에 진학하기 위해서 노력했고, 내

노력을 버리기에 나는 너무도 아쉽다는 이야기다. 그날, 처음 아버지에게 이 얘기를 꺼내던 날, 아버지의 덜덜거리는 오토바이 소리가 마당으로 들어올 때는 심장이 두배, 어쩌면 세배는 커진 것 같았다. 하도 큰소리로 쿵쾅쿵쾅 대길래, 아무래도 심장이 이마안큼, 이만큼은 더 커졌나 보다 생각했다. 아버지, 저 성적도 되고 오빠 따라서 시내로 고등학교 가고 싶어요, 엄마도, 아버지도 안된다는 것이 대답이었다. 상업고등학교에, 아니면 농업고등학교에 가서 기술을 배우라고. 그래서 우리 동생, 우리 차남, 우리 아들 공부시키자고. 작년에 같은 반이었다가 올해 옆 반으로 갈라진 단짝 윤희가 딱 그랬다. 하나 있는 막내아들 공부시키려고, 그럼 일을 해야 한다고 상고에 가기로 이야기가 끝났더란다고 마치 남일 얘기하듯 내게 말하던 게 엊그제 아침 등굣길에서였다. 농사만 해선 우리 오 남매 입에 풀칠하기도 힘들다. 부모님과 할머니, 할아버지까지 아홉 식구가 같이 살고 있고, 마당에는 닭이 한 마리, 사나울 게 하나 없는 백날천날 아기 같은 다 큰 개가 한 마리. 알고 있다. 누구네처럼 용돈을 받는 일은 꿈도 꿀 수 없고, 그 용돈을 모아 내가 좋아하는 소설책을 한 아름 사다 내 책장에, 내 책장도 없지만, 꽂아두는 것은 더더욱 꿈에서의 꿈에서조차 바랄 수 없는 일이라는 걸 알고 있다. 밥만 먹고 살면 다행이다. 그만한 사정이다. 그래도, 그래도 나는.

상고 가기 싫어. 농고도 싫고. 그런 거 하기 싫어. 쟤 대학 보내자고 돈 벌기 싫단 말이야.

애가 왜 이렇게 철이 없어!

아버지는 처음 내가 말을 꺼냈던 날 안된다, 한 말씀하신 후로 며칠 동안 귀머거리처럼, 아니, 내 말만 쏙 들리지 않는 것처럼, 아니, 처음부터 내가 어떤 말도 하지 않았던 것처럼 대꾸도 없이 동요도 없이 눈 하나 꿈뻑 없이 그렇게 나를 보신다. 대신에 언젠가 아버지가 호통을 치실까 내가 매를 맞을까 겁에 질린 엄마만 옆에서 자꾸만 채근을 한다. 그만하라고. 그만해, 그만. 그렇게 되지 않을 테니까 그만하라고. 아버지 앞에서 버티고 서있는 내 팔을 잡아당겨도 봤다가, 등짝을 밀어도 봤다가, 그래도 꿈쩍을 않으니 팔뚝을 큰소리가 나게 철썩철썩 때린다. 소리만 크지, 하나도 아프지 않았다.

학교 보내줄 때까지 밥 안 먹어! 아무것도 안 할 거야! 씻지도 않고, 공부도 안 하고, 밭일도 안 보고, 동생들도 챙기지 않을 거야! 잠도 안 자고! 아무것도 안 해!

나보다 세 살 어린 남동생이 엄마의 옆에 덩그러니 앉아 엄마가 가져다준, 하나 남은 곶감을 쩝쩝 소리 내어 먹는다. 손에도 진득하게 붙은 곶감이 쩍 소리를 내며 떨어졌다가 다시 입으로 들어간다. 막내가 옆에 붙어 앉아 자기도 먹고 싶다 칭얼대니 손에 붙었던 곶감을 막내 얼굴 가까이 슥 내민다. 진득한 곶감이 막내의 입가에 들러붙었다가 떨어져 나간다. 작은 이빨 자국이 난 곶감은 다시 남동생의 입안으로 쏙 들어간다. 진득한 손가락을 쪽쪽 빨아먹는다. 막내도, 남동생도 만족스러운 얼굴로 서로를 쳐다본다. 그러나 나는 안다. 저 곶감은 남동생의 것이라는 걸. 막내가 먹은 것은 남동생의 것을 한 입 얻어먹었을 뿐이라는 것을. 쟤는 아무것도 한 거 없이 곶감을 자기 것으로 만든다. 아무것도 한 것 없이 곶감의 주인이 되어서 막내에게 선심을 쓴다. 지가 만든 곶감도 아니면서. 아까부터 강아지가 좁은 마당의 끝을 따라 뱅글뱅글 돈다. 돌고 또 돈다. 닭은 어디 들어가 자고 있는지 오늘 종일 통 보이지 않았다.

―

　여보세요.

　또다시 장난기가 가득한 목소리. 나도 어김없이 그 뒤죽박죽인 목소리를 따라 목청을 높인다. 그럼 딸애의 꺄르르 웃는 소리가, 뒤집어지는 목소리가 따라 들려온다.

　엄마는 꼭 그렇게 따라 하더라? 웃기다.

　그러고서도 한참을 키득대고 웃는다. 애는 원래가 참 잘 웃었다. 조그만 일에도. 꺄르르, 꺄르르 하고. 더 어렸을 땐 애아빠가 장난을 친다고 애를 들고 이리 돌리고 저리 돌리고 하면 저러다 과호흡이 오진 않을까 걱정이 될 정도로 숨도 제대로 못 쉬고 웃느라 정신을 못 차렸다. 그럼 나도 애가 웃는 걸 보며 같이 힘껏 웃다가도 불안해서 그만해, 그만, 하고 남편을 말렸다. 머지않아 아이는 진짜로 까무러치고 울곤 했다. 그러게 그만하라니까, 하며 애아빠에게 한소리 던지고 아이를 달래는 건 내 몫이었다. 그렇게 울다가 아이는 금방 기운을 차리고 또 꺄르르 웃었다. 또 쪼르르 아빠에게 내달려가 장난을 치곤 했다. 그럼 나는 다시 애가 또 울진 않을까 걱정을 했다.

전화를 마친 여자가 책상 위로 머리를 세게 떨어뜨린다.

엄마, 엄마. 엄마. 나는 아무래도 혼자서 할 수 있는 게 아무것도 없는 건 아닐까. 엄마, 엄마! 낯설고도 익숙한 목소리가 머릿속에서 맴돌아요. 엄마. 엄마. 나는 곧 죽게 될 거예요. 왜냐면, 그 목소리가 내게 그렇게 말하고 있으니까. 죽어! 죽어! 죽어야 돼!

조용한 방 안에 여자의 목소리가 벙벙 울린다. 책상 위의 잡동사니들이 두어 바퀴 구르고 어느 건 책상 아래로 굴러 떨어지느라 소란스럽다. 그러나 금방 조용해지고 만다.

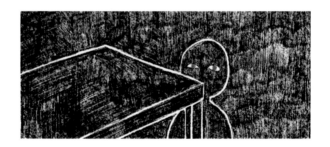

–

 그 후로 그 애는 자주 그렇게 전화를 해왔다. 하루는 도서
관에 있다며 전화를 해오고, 하루는 집에 그냥 누워있다며,
하루는 아르바이트를 마치고 집에 들어가는 길에 전화를 하
고, 어느 날엔 아침 일찍, 어느 날엔 늦은 밤에 전화를 하기
도 했다. 그럼 나는 아침에 일어난 지 얼마 안 되어 세수도
못한 채로 전화를 받기도 하고, 양손에 들고 있던 장바구니
를 한 손에 몰아 들고 낑낑대며 받는 날도, 설거지를 하려고
일어섰다가 전화를 받고 도로 앉기도, 방금 막 손빨래를 하
다 젖은 손으로 대충 핸드폰을 들어 올리기도 했다. 얼마 전
에 상담을 다시 받게 되었다며 끅끅 울었던 것은 마치 없었
던 일인 양 전화를 할 때마다 딸애는 웃고 있었다. 무슨 얘
기를 해도 깔깔거리며 곧잘 뒤집어지며 웃어댔다. 어려서도
잘 웃었던 모습 그대로였다. 그리고 그 후에 울기를 걱정하
고 있는 내 모습 역시 그대로였다. 그때는 웃다가도 곧잘 잘
울더니, 이제 울지 않는다. 왜 울지 않니, 아가, 왜 울지를
않아.

 딸애는 주로 같이 자취를 하고 있는 여동생 얘기를 많이 한
다. 아니면 아르바이트하는 곳에서 있었던 재미있는 일이나,
그도 아니면 지난밤에 천장을 기어가는 바퀴벌레를 봤다든지

아침에 밖에 나가보니 눈이 너무 많이 왔더라, 처럼 쓸데없는 이야기만으로도 한 시간 두 시간을 꼬박 채워 떠든다. 나는 주로 애 아빠 얘기를 하든가, 막내 얘기를 한다. 그런 얘기를 꺼내면 이 애는 이 세상엔 자기 얘기라곤 한 톨도 남아 있지 않은 사람처럼 곧장 내가 하는 이야기에 휩쓸려온다. 그 애는 곧잘 그랬다. 자기 얘기를 신나서 하다가도 다른 사람이 이야기하기 시작하면 거기로 훅 빠져들었다. 누군가의 이야기를 들을 때 그 애의 눈은 반짝거린다. 그 눈빛이 날카롭지 못하고 항상 은은한 빛에 머무른다. 그럼 이야기를 하는 사람은 그 빛에 빠져 홀린 듯 말을 꺼내게 되는 것이다. 이런저런 시시한 이야기들까지도. 아무리 시시한 이야기라고 해도 그 애는 할 수 있는 만큼을 다해 귀 기울이고 있는 걸로 보인다. 그 속이야 어떤지 모르겠지만 그렇게 그 눈을 마주치고 있다 보면 그렇게 보인다는 얘기다. 얘기를 한창 하며 눈을 마주치고 있다 보면 그 애 눈 속에서 내가 하는 이야기들이 생생하게 살아 움직이는 게 보인다. 아마 그 애의 머릿속에서, 마음속에서 내 얘기가 살아나고 있는 탓이겠다. 이야기를 들으며 딴짓을 한데도, 가령 손을 가만히 두지 못하는 그 애는 테이블 앞에 앉게 되면 손을 쉴 새 없이 움직인다. 영수증 같은 걸 북북 찢어대거나 티슈 위에 이상한 캐릭터 같은 것들을 그려두고, 그도 아니면 자기가 늘 들고 다니는 드로잉북을 꺼내 의미가 없는 직사각형 같은 것들을 잔뜩 그리며 이야길 듣곤 한다. 그럼 눈도 따라 자기 손 끝을 응시하곤 하는데 나도 그 손 끝을 같이 보고 있다 보면 그 작은 직사각형 하나하나에 필름처럼 내 이야기가 새겨져 들어가는 게 보인다. 그 눈빛의 끝에서 다시 또 영사기가 돌아가는 것처럼 내 얘기를 따라 꽃이 피고 개울가를 거닐다가도 폭풍우 속에 다 뒤집어진 우산을 든 내가 우두커니 서있기도 한다. 나는 그렇게 내가 휩쓸렸는지, 그 애가 휩쓸린 건지 모를 이야기 속을 헤매다 문득 또 묻는다. 너는 왜 웃기만 하니, 왜 이제 울지를 않아?

–

밤새 비가 주륵, 주르륵 내렸다. 베개에 머리를 뉘이고 얼마 되지 않아서 잠이 드는 줄도 모르고 잠이 들었다. 그러다 천 둥이 치는 소리에 놀라 눈을 떴다. 며칠째 밥을 제대로 먹지 않아 허기가 느껴졌다. 단식 투쟁이 계속되고 있는 탓이다. 아버지는 굽힘이 없으시다. 항상 그래 오셨다. 그런 건 그저 모르는 사람인 것처럼 한번 아니라고 하면 그걸로 끝인 사 람. 나도 그걸 아주 잘 알고 있다. 그러면서도 이렇게 고집을 피우는 건, 내가 욕심쟁이라서 그런 걸까. 비가 지붕을 두드 린다. 투둑투둑 하던 소리를 들으며 눈을 잠시 감았다가 그 소리가 점점 거세져 이윽고 쿵쾅쿵쾅, 그 소리에 누가 대문 짝을 두드리는 줄로만 알고 화들짝 놀라 다시 깨어났다. 낡 은 지붕이 처음에 덧대던 날보단 분명 여려졌을 것이다. 자 리에서 일어나 창가로 나갔다. 여기저기 좀먹은 낡은 나무 문틀 옆에 우두커니 서서 마당을 쳐다본다. 오빠가 시내로 나가기 전에 어디선가 나뭇가지를 주워와서 삐뚤빼뚤 담을 만들어두고 갔다. 아무렇게나 엮은 나뭇가지들, 우리 집을 지 켜주는 담장은 이렇게나 볼품이 없다.

요 며칠 우리 집 개는 마당을 계속 빙빙 돌고 있다. 내가 얘, 얘, 정신 사나우니 그만 돌아라, 해도 들은 체도 않고.

우리 엄마가 개죽을 만들어다 줘도 먹는 둥 마는 둥 하더니 또 마당을 뱅뱅 돌았다. 창가의 벽에 시계가 붙어 있어 무심결에 보니 20분 정도 후면 학교에 갈 준비를 해야 한다. 나는 그냥 이대로 깨어있기로 마음먹고 창가에 의자를 바짝 붙여 세워뒀다. 지붕을 망치 같은 것으로 내려찍는 소리를 낸 주제에, 그렇게 나를 깨운 주제에, 처마 끝을 따라 그저 후루룩, 툭, 툭, 지붕을 미끄럼 탄 물방울들이 소심하게 떨어져 내린다. 아버지의 낡은 오토바이를 세워둔 곳 아래에 닭이 앉아 꾸벅꾸벅 졸음을 탄다. 고개를 창 가까이 갖다 댄다. 입김을 부니 내 숨의 따뜻함을 빼앗아 가는 대신 창문의 표면에 머물러 있던 가을비의 찬 기운이 볼 위로 기어 올라온다. 처마 밑에 강아지가 넋을 놓고 앉아있다. 나처럼 처마 끝에서 떨어지는 빗방울이 바닥 위로 툭 떨어지는 것을 보고 있는지도 모른다. 푸릇하게 날이 밝아지는 게 느껴진다. 가을의 일출은 어느 때와 다른 것 같다. 곧 겨울이 올 것을 아는 탓인지 같은 푸른빛이면서도 봄동이 틔어 오르는 것과는 다르게 개울물의 푸른빛을 닮았다. 여름에도 발을 담그면 앗, 차, 하고 깜짝 놀라게 하는.

–

 작은 방에 책걸상과 책장, 그리고 침대, 그리고 옷장으로 가득 차 있고, 침대 끝에 어린 여자애가 걸터앉아 있다. 이제 막 고등학생이 된 참이다. 동이 터 오르는 탓에 방 안에 차갑고 푸레한 빛이 돌고 있다.

 엄마, 해가 떠오르고 있어요. 엄마. 또, 하루가 생겨나고 있어요. 끝도 없이. 끝도 모르구서요. 나는 하루가 저무는 것도 싫고, 하루가 떠오르는 것도 싫어해요.

–

  어느새 비는 그치고 마당이 밝아졌다. 오빠가 꽂아 놓은 마당 끝의 들쑥날쑥한 나뭇가지들도 마당의 흙도, 강아지의 털 끝도 비를 맞아 척척하게 젖었다. 진흙이 된 마당을 강아지가 또 뱅뱅 돌기 시작한다. 발이고 배고, 꼬리고 뭐고 온몸에 진흙칠을 하며 엉성하게 덤벙덤벙 뛴다. 그걸 가만 보고 있으면 마치 초침이 도는 것과 같아서 나도 모르게 시간을 빼앗기게 된다. 애, 정신없으니 그만 돌아라, 해도 뱅뱅 돈다. 마당이 강아지 발자국으로 진창이다.

  단식 투쟁은 계속되었다. 등교하기 전에도 이러다 쓰러진다, 하시며 내민 아침밥을 기어코 먹지 않았다. 학교에 가서는 엄마 몰래 대충 소금간만 보태 뭉쳐 집어온 보리 주먹밥을 먹었지만. 밥 시간에 윤희가 찾아왔다.

  너 아직도 단식하니?

  응.

  물통에 물은 한 움큼 떠 왔는데 목이 막혀도 물은 못 마시겠다. 요새 배가 고파 계속 물을 채워 마셨더니 물만 봐도 신물이 난다.

 그만둬라. 맨날 소금 묻힌 보리밥 먹어서 어떻게 살래?

 돈 벌어다 동생 학교 보내면 소금 묻힌 보리밥 안 먹는다니?

 윤희가 입을 꾹 눌러 닫곤 나를 빤히 쳐다보다 제 도시락 속 김치를 내가 먹던 주먹밥 위에 올려주었다.

 윤희 너 먹어라.

 우리 엄마 김치 맛없어서 맨날 몰래 버리구 가잖어. 너 먹어라.

 그런 것 치고 적당히 익은 김치가 맛이 좋았고 윤희는 김치까지 싹싹 도시락을 비웠다.

 학교를 마치고 돌아오니 엄마가 밥상머리 앞에 앉아 골머리를 썩고 있다. 내가 들어가니 또 나를 붙들고 앉혀 밥 좀 먹어라, 밥 좀 먹어라, 하신다.

학교 보내준다고 하면 먹겠다니깐.

너네 아버지 고집 몰라서 그러니, 얼른 밥 먹어, 괜히 몸만 상한다니까.

드물게 밥상 위에 생선구이가 올라와 있다.

옆집에서 생선을 한 마리 줬어, 이번에 추석 선물로 들어왔다면서. 온 동네 사람들이 다 알더라니까, 니가 학교 안 보내준다고 밥 안 먹는다고 말야. 너 해먹이라면서 고등어를 덜컥 한 마리 꺼내 주더라니까. 그러니까 먹어. 먹어야 학교를 가든 말든 하지.

온 동네 사람들이 어떻게 다 알겠는가, 엄마가 여기저기 한숨을 푹푹 쉬며 떠들고 다녔을 테니까 모두들 알겠지. 동네 사람들이 무슨 이야기를 했을지 뻔하다. 기집애가 무슨 고집이 그리 세댜~ 고생이 많네. 이거 하나 줄 테니까 이거라도 먹여, 고등어 먹은 지 오래됐지? 걔가 생선 참 좋아하잖어, 안 먹고 배기겠어?

나만 먹으라고?

엄마는 생선을 참 맛있게 구웠다. 자주 먹진 못 했지만, 먹게 되는 때면 늘 그렇게 생각했다. 속살이 어쩜 그리 야들야들하게 맛있게 굽는지. 매일매일 먹을 수 있다면 매일이고, 삼시 세 끼고, 계속 계속 먹을 수 있을 것 같았다. 집 안 가득 고소한 생선 기름 냄새와 비린내가 섞여 퍼져 있었다. 나도 모르게 입안에 침이 가득 고였다. 아직 밥상 위로 손도 올리지 않고 멀뚱히 앉아있는 내 앞에 밥을 산만큼 퍼서 가져다준다. 표정만 보아서는 나보다는 엄마가 며칠 굶은 사람 같다. 정확히는 내게 밥을 먹이지 못해 안달이 난 표정이겠지만. 나는 여전히 손을 올리지 못하고 밥상 밑에서 치마 끝자락만 만지작댔다.

그래애, 너 먹으라고 구운 거라니깐. 어서 먹어, 어서, 배고프지?

그렇게 말하고는 먼저 젓가락을 들어 고등어 배를 가른다. 윤기가 잘잘 도는 살들을 발라 집어 들더니 가시가 한 살이라도 남았을까 봐 코앞까지 살점을 가져다 살펴본다. 내가 봐서는 잘 보이지도 않는, 나 같아서는 귀찮아서 그냥 꾹꾹 씹어 삼켜버릴 아주 작은 잔가시들까지 손으로 골라낸다. 둥그렇게 쌓인 밥 위로 올라온 예쁜 고등어 살점 하나. 손등을 꼬집는다. 마음 쓸 일이 있으면 늘 하는 버릇이다. 나도 모르게 하게 되는 일.

 엄마, 내가 바본 줄 알아. 이거 한 점 먹으면 다 없던 일이 되리란 거 모를까 봐?

 엄마는 매번 그런 식이었다. 내가 이렇게 별안간 고집을 피우면 어디서 났을지 모를 엿을 한 개 쥐어주고, 우유를 한 팩 쥐어주고, 내가 좋아하는 누룽지를 만들어다 주곤 우리 착한 맏딸이 이번만 넘어가 달라고. 그 말을 할 즘이면 엿은 이미 진득하게 녹아 뱃속까지 달짝지근하고, 우유 팩은 분리수거를 하려고 잘 헹궈 펼쳐놓은 후였고, 누룽지는 쥐도 새도 모르게 사라진 후였다. 그럼 나는 그 어쩌다 한 번 오는 착한 어린애 행세를 할 수 있는 기회를 놓치지 않고 고개를 끄덕이게 되는 것이다.

 허망한 표정을 짓는 엄마를 뒤로 하고 잘 맞지 않아 한 번에 열리지 않는 문을 덜컹대며 마당으로 나왔다. 여전히 마당을 뱅뱅 도는 강아지를 지나 그 못지않게 신발 앞코며 옆구리며 진흙을 진창 묻히며 마당 밖으로 빠져나왔다. 옆집 담을 따라 도니 남동생이 서서 신발 바닥 밑으로 작은 돌멩이를 돌돌 굴리고 섰다.

여기서 뭐해, 아버지 밭일 도우러 안 갔니?

응, 다녀왔어, 좀 전까지, 잠깐 아버지 심부름하러 왔다가.

동생은 말 틈틈이 숨을 섞어 말한다. 말 틈이 긴 편이다. 더 어렸을 땐 곧잘 버벅거리며 말을 하더니 그게 고쳐지니 말을 하는 틈이 길어졌다. 동생은 말끝을 흐리며 자기 발 앞으로 굴러다니는 작고 작은 돌멩이들을 쳐다본다.

아버지, 식사는 하셨니? 심부름하고서 아버지 모셔다가 집에 와 밥 먹어라. 엄마가 고등어 구워놓으셨더라. 식기 전에 먹어야 맛있어. 엄마, 생선 참 맛있게 굽잖어.

그런데, 왜 누나가 먹지 않고? 누나 생선 좋아하잖어.

자기도 모르는 사이에 곶감을 들고 태어난 남동생은 모르겠지. 내가 그 맛있는 엄마의 고등어구이를 왜 먹지 않는지.

누나 어제 저녁도, 안 먹고, 오늘 아침도 안 먹었잖아. 같이 밥 먹자.

누나는 배 안 고파. 어서 가서 먹어. 아버지도 시장하시겠다.

 내 말엔 대꾸도 없이 내 소맷자락을 살짝 잡더니 질질 끌고 앞장선다. 어디 가는 거야, 물어도 아무 말을 않는다.

 도착한 곳은 10분쯤 걸어야 나오는 다리 건덧댁 밭 옆에 자그맣게 솟은 언덕이었다. 앞에는 시내에서부터 어쩌면 그보다도 더 위에서 흘러올 개울이 졸졸 또 어딘가 아래로 흘러가고 있고, 봄이면 이름 모를 작은 꽃들이 피어 나와 여동생들이 자주 와서 꽃놀이를 하는 곳이다. 막내가 꽃을 아주 예뻐해서 이곳에 데리고 오면 참 좋아한다. 사실 꼭 여기가 아니어도 봄이 되면 온 동네 천지에 꽃내가 진동을 하지만. 하기야 마을을 둘러싸고 산과 들과 논밭뿐이니 싫다 해도 꽃내가나지 않는 게 이상할 정도다.

 여기는 왜?

 누나, 밥 안 먹는 것, 나 때문이야?

 주저앉은 자리 옆으로 풀들이 무성하게 자라 다리가 근질거린다. 치마 옆으로 자꾸 살랑대는 풀잎을 한 장 뜯어 손가락으로 매만진다. 손가락 지문에 잎맥이 묻고, 풀잎의 잎맥에 내 지문이 묻는다.

응? 누나.

그런 거 아니야.

그러면 왜 밥 안 먹고 화를 내는 거야?

내가 너한테 화를 냈어?

동생도 나를 따라 말없이 잎을 한 장 뜯는다. 그리고 또 한 장, 또 한 장, 자꾸 뜯어다가 손바닥 위로 올린다. 나는 내 지문을 묻힌 풀잎의 끄트머리를 손톱 끝으로 뭉갠다.

누나, 나는, 공부하고 싶지 않아.

말없이 손바닥 위의 풀잎을 고르던 동생이 한참 만에 입을 열었다. 풀잎을 고르는 동생의 손끝이 참 다부져 보인다. 어린 동생의 손 끝이 이리 단단할 일인가, 하면서 문득 잎을 뭉개고 있을 내 손 끝을 보면 짧둥하게 끝이 나 버린 작은 손이 그리 힘이 없어 보인다.

왜 공부를 하고 싶지 않아, 너랑 오빠는 대학을 간다 하면 아버지가 집 팔고 우리를 팔아서라도 보내주실 건데, 니가 싫다고 해도 그렇게 해주실 거라고.

누나, 누나! 나는 그렇게 하기 싫어!

내 말이 끝나기 무섭게 동생이 소리를 빽 지르는 바람에 반정도 짓뭉개진 잎을 떨어뜨렸다. 선선한 바람이 그 끝을 잡더니 어디로 데리고 날아가 버린다. 손에 쥘 것을 잃어버린 내게 동생이 손바닥 위에서 고르고 골랐던 풀잎 한 장을 슥 내민다. 손도 내밀지 않고 그저 동생을 향해 웃기만 했다.

너 해라. 집에 가자. 해 지면 추워져.

짧둥하게 끝이 나버린 손톱 안 쪽에만 푸레하게 풀색이 물들었다.

–

아유, 말도 마라, 말도 마. 그래서 너네 아빠가.

　오늘도 우리의 전화 주제는 애 아빠가 되었다. 요새 통 수입이 좋지 않아 온 가족이 골머리를 썩고 있다. 더 솔직하게 말하면 몇 개월, 아니, 정확하게 3년 동안 제대로 된 수입이 들어온 적이 없었다. 대출이란 대출도 다 끌어당겨 쓰고, 현금서비스는 말할 것도 없다. 애들한테 부담 주지 말자, 괜한 소리 해서 애들까지 속상하게 하지 말자, 생각하면서도 얼마 전 딸애의 집에 갔다가는 사실대로 얘기해버렸는데 큰애가 특히 많이 충격받은 것 같았다. 입을 열면 자꾸만 이런 얘기가 툭툭 튀어나온다. 아마 나도 요즘 이 일로 스트레스를 많이 받고 있는 탓일 것이다. 게다가 딸애가 얘기를 잘 들어주다 보니 나도 모르게 입방정을 떤다. 결혼을 하고, 첫째를 낳고 삼사 년 동안은 그래도 꽤 안정적이었다. 새로 구한 신혼집, 아기 용품이 가득한 집안, 안정적인 돈벌이, 나는 결혼과 함께 일을 그만두고 전업 주부가 되었다. 아이에게도 최고급까진 못 해주더라도 못나게 해주진 않았던 것 같다. 처녀 적에도 아이를 좋아하긴 했지만 실은 딱히 아이를 가질 생각은 없었다. 낳아서 기를 자신은 없었으니까. 그런 생각을 하며 20대 후반이 되니 결혼을 했다. 결혼을 하니 아이를 낳아야지, 장남인 남편의 어머니가, 그러니까 시어머니가, 시아버지가, 친척 어르신들이 입이 닳도록 아이는? 아이는? 노래를 부르셨다. 그즈음에 내 이름이 '아이는'인가,라고 친구들에게 투덜댔던 기억이 난다. 하도 나만 보면 아이는, 아이는, 하시길래. 그래서 아이를 가졌다. 나는 아이를 낳는다면 딸이 좋겠다고 줄곧 생각해 왔다. 남편에게 그 얘길 하니 딱히 다른 말은 없었지만 시댁에서 그리 아들 노래를 불렀고, 남편도 장남이라는 입장이 있었으니 아마 내심 아들을 바라고 있었을 것이다. 딸을 낳았다고 시어머니를 따라 남편도 면박을 주는 일은 없었지만 결국에 아들 하나 보겠다고 삼 남매를 낳은 거니 말은 안 해도 그 속은 뻔하다.

　으응, 아빠가 좀 그랬네, 엄마가 속상했겠네.

　나는 역시 딸이 좋다고 생각한다. 특히 이 애를 좋아한다. 사실 표현이 많은 편도 아니고, 애교도 없다. 그런 게 중요한 건 아니다, 특히 내겐. 보통 사람들이 딸을 갖고 싶다고 하면 그런 기대들을 하곤 하니까. 하지만 그렇지 않기 때문에 더 든든한지도 모른다. 게다가 그건 꼭 내 성격을 닮아 달리 할 말도 없다. 딸은 종종 내게 맏아들처럼 느껴지기도 하는데, 실은 가끔 그렇다기보다 거의 늘 그렇게 생각하고 있는 것 같기도 하다. 더 어렸을 때, 아주 아기일 때는 예쁜 옷을 입혀 나들이 가는 걸 좋아했다. 어린 시절의 사진에는 늘 꽃무늬 원피스나 드레스 같은 것에 프릴이 달린 양말을 신고 앞코가 둥그런 에나멜 구두를 신고 있었다. 내가 그렇게 입히기도 입혔지만 애도 그렇게 입는 걸 좋아했다. 양갈래로 높이 땋아 묶어준 머리를 아이가 참 좋아했다. 그렇게 잔뜩 꾸며 데리고 나가면 너도나도 지나가며 어머, 아기가 너무 예쁘다고, 발걸음을 멈추고 우리 애를 보다 갔다. 꽃놀이 가서도, 놀이공원에 가서도, 늘 주목을 받았다. 아들이 싫은 건 아니지만 수더분하고 어여쁜 여자아이를 낳아 예쁜 옷을 입혀 나들이를 나가면 좋겠다고, 봄꽃이 피면 그 속에선 아이가 얼마나 이쁠 것이며 여름 볕이 강하게 내리쬐면 그 얼마나 빛이 날 것이며 가을 하늘 아래에서도 아인 그보다도 더 맑음을 자랑할 것이고 흰 눈 사이에서도 곧 올 봄보다도 따듯하니 그것 참 예쁘고 좋겠다고, 아이를 가질 생각이 없을 때부터 생각해오던 터였다.

그렇지? 생각을 해 봐, 아주 답답하다니까, 너네 아빠. 같이 있으면 속이 터져, 속이. 엄마가 병들면 다 아빠 때문이다.

그래, 그래, 답답한 면이 좀 있지, 아빠가.

딸의 목소리가 눌렸다 풀린다. 아마 전화를 하면서도 고개를 끄덕여서 그럴 것이다.

 예정일에 가까워졌을 즈음, 의사가 아기가 작다는 얘기를
했다. 혹시나 너무 작아 위험할 정도는 아닐까 걱정을 했다.
이제 와 하는 얘기지만 그때까지만 해도 내가 엄마라는 것에
대한 자각이 적었던 것 같기도 하다. 알기야 알았겠지만, 진
심으로 온 마음을 다해 뱃속의 아이를 사랑하진 못하고 있었
다. 가끔 꿈틀거림이 느껴지기도 하고, 의사가 초음파로 아기
를 찍어서 보여주기도 했지만 내가 살아있는 생명을 뱃속에
서 기르고 있다는 것이 실감 나진 않았다. 그저 막달이 되어
갈수록 배가 불러 불편하고 힘들었고, 퉁퉁 쪄올라가는 살들
을 보면서 마르고 작았던 내가 이렇게 살이 찌는 게 신기할
따름이었다. 그래서인지 걱정을 하기는 했지만, 진짜로 이 애
가 죽으면 어떻게 하나, 마음을 다해 속상하진 않았다. 다행
히 의사도 걱정할 정도는 아니라고 해 이상한 안도감이 들었
다. 예정일보다 며칠 늦게 양수가 터졌다. 아기가 작다는 의
사의 말과는 다르게 아이는 4.1kg이 막 넘은 몸무게로 태어
났다. 그것도 낳는 와중에도 계속 아기가 작다는 의사의 멍
청한 말을 믿어 자연분만으로 아이는 태어났고 말할 것도 없
이 나는 거의 죽을 뻔했다. 그건 아이 역시 마찬가지였다. 애
가 나오기까지는 한나절이 걸렸다. 머리가 보인다, 보인다,
하더니 이마가 입구에 걸렸다가 또 어떻게 머리가 정말로 나

와 이제 됐구나, 싶으니 어깨가 문제였다. 어찌나 온몸에 힘을 주었는지 뼈가 다 으스러지는 것 같고 애를 낳는 게 아니라 장기가 입으로 다 튀어나올 것 같았다. 지옥을 오가던 와중에도 생명체가 왈칵 태어났구나, 하고 딸애가 드디어 밖으로 나온 게 느껴졌다. 그리고 바로 그다음 순간, 지금이 진짜 지옥이구나, 생각했다. 분만실에 아이의 울음소리가 울리질 않았다. 양수를 뱉어내고 울음이 터져야 했을 아이가 울지 않은 것이다. 안 그래도 예상보다 길어진 분만 덕에 어수선했던 분만실이 순식간에 전쟁통이 되었다. 내가 무얼 할 새도 없이, 실은 할 수 있는 게 없었겠지만, 아이는 실려 나갔다. 딸의 얼굴 한 번 보지 못 했고, 아이도 나의 얼굴을 한 번 보지 못했지만 나 역시 딸 걱정할 새도 없이 쓰러져 실려 나갔다. 아이는 큰 병원으로 이동해야지만 되는 상황이었다. 오랜 시간 끝에 생명이 태어나는 것은 눈 깜작할 새였지만 사실 그건 생명이지 못 했고, 대신 두 명의 죽어가는 핏덩이가 태어난 것인지도 모른다고, 한참이 지나서야 정신을 차리고 깨어났을 때 남편의 얼굴을 보면서 생각했다. 허나, 그때 역시 그 애를 내 딸이라고 생각진 않았던 것 같다. 너무 아파서, 너무 힘들어서, 라고 하면 그게 엄마냐, 할 일이겠지만 정말로 그랬다. 너무 힘들어서 다른 생각은 아무것도 들지 않았다. 내가 왜 이렇게 힘들어하고 있는지도 잊고, 내가 출산을 했다는 것도 잊고, 그저 몸이 너무 아플 뿐이었다.

그래도 사이좋게 지내, 어차피 계속 같이 살 거면서~.

딸은 웃으면서 내 이야길 받아쳐 준다. 그건 그렇지, 그래도 괜씸하니까 그렇지, 라고 하면 딸은 그저 웃을 뿐이다.

상황을 안 것은 많은 것이 꽤 정리된 후였다. 남편에게 전해 듣기로 내 몸에서 가까스로 빠져나온 덩어리는 엄마 품에 안겨 보지도 못하고 큰 병원으로 이송됐다. 말이 이송이지, 그 작은 산부인과에 응급차랄 건 기대도 못하고, 따로 차를 부르는 것조차 시간이 아까워 애 아빠가 직접 운전을 하고 내달렸단다. 조수석에 앉은 간호사가 아이를 안고 숨을 쉬지 않는 그 애의 입에 산소마스크를 씌우고, 그렇게 파란 불인지 빨간 불인지 옆에서 차가 오는지 마는지 사람이 길가에 있는지 마는지도 모르고서 내달려 갔단다. 어차피 뭐가 있었어도 안 보였을 것이란다. 딸 때문에 정신이 없어서라기보다 통곡을 하며 운전을 해서 앞이 하나도 보이질 않았단다. 큰일이 났으면 어쩌려고 그랬어, 다른 사람이나 차라도 쳤어봐, 아니, 사고라도 났으면 애고 뭐고 간호사고 다 같이 죽으면 어쩌라고, 하고 혼을 내니 그냥 눈물이 그냥, 그냥 그렇게 줄줄 나더란다. 그렇게 실려 가서야 아이는 태어났다. 나는 그 이야기를 들을 때조차 울지 않았다. 분만실에 들어가 힘을 주느라 나왔던 눈물이 아니고는 그 애를 낳으며, 낳고 나서 단 한 번도 울지 않았다. 그 애 역시 그랬지만. 아이는 분만 과정에서 어깨가 부러져 큰 병원에 입원하고 있는 상태였다. 나도 움직일 수 있는 몸 상태는 아니라서 아이를 본 건 아이가 태어난 지 3주 지나서였다. 머리가 거멓고 커다란 애가 내가 낳은 첫째 딸이라며, 창 너머에서 그 애를 처음 봤던 순간을 잊을 수가 없다. 그 옆에는 배는 작아 보이는 아이들이 이름표를 달고 누워 있었다. 보드랍고 여린 팔다리 사이로 그 애 혼자만 꽤 튼튼해 보이는 기색을 하고 있었다. 그때는 그게 마냥 너무 이질적으로 느껴졌지만 내 애라니 그냥 그런가 보다, 했다. 지금 생각해보면 그럴 만하다, 하루가 다르게 커가는 아이를 3주 만에 봤으니. 아이가 크는 중간중간, 나와 애 아빠는 그때의 일을 수도 없이 많이 이야기해줬다. 아이가 속을 썩일 때마다 '그때 엄마가 너를 얼마나 고생해서 낳았는데~ 말 좀 잘 들어어~'하고.

—

엄마. 나를 왜 낳았어요? 왜요?

중학교 입학을 앞두고 짧게 자른 어린 여자애의 단발머리가 축축하게 젖었다. 베개가 젖는 게 싫어, 실은 베개가 젖어 누군가에게 울었다는 걸 들키기 싫어서 베개는 젖혀두고 베개가 놓여 있던 자리에 얼굴을 묻어 두었다. 했던 말을 또 하고, 또 하고, 또 한다. 이미 잔뜩 젖은 이불 안으로 묵묵한 소리를 내며 말이 묻힌다.

왜 낳았어요? 나는 태어나고 싶지 않았을지도 모르는데.

또 하고, 또 하고, 또 한다.

—

바람이 차다. 이만 들어가자.

누나.

들어가자.

더 할 말이 있는 듯한 동생만 덩그러니 두고 나는 죽은 풀잎이 마구 엉겨 붙은 엉덩이를 툭툭 털고 일어섰다. 가자며. 이만 가자고. 동생을 돌아보니 잔뜩 심통이 난 표정으로 나를 노려보고 앉았다.

누나.

누나는 한 바퀴 돌고 갈 테니까 먼저 아버지 모시고 들어가. 고등어 다 식었겠네. 바로 먹어야 맛있는데.

누나아.

음절이 하나하나 늘어지는 동생의 목소리를 뒤로 하고 언덕을 툭 툭 내려간다. 생각보다 가파른 경사 탓에 다리가 제멋

대로 춤을 춘다. 나는 고작 한 뼘 내디뎠을 뿐인데 두 뼘씩,
세 뼘씩 쿵쿵 떠내려간다.

누나! 나는 고등학교도 안 가고 싶어! 공부하는 것도 싫어!
누나 해!

동생이 뱉은 소리가 쿵쿵 뒤통수를 때리고는 나보다도 빨리
세 뼘씩, 네 뼘씩 저어기 아래로 굴러 내려간다.

–

 딸애와의 통화를 마치면 이상하게 늘 마음이 허하다. 한번 통화를 하면 꼭 한 시간이 넘도록 이렇게 떠든다. 아픈 목을 가다듬으려 한번 헛기침을 하고 물을 따라 마시다 다 식어 빠진 커피가 눈에 들어왔다. 딸애한테서 전화가 오기 전에 마시려고 타다 둔 커피였다. 남편과 아직 고등학생인 아들이 각자의 역할을 위해 밖으로 모두 나간 후, 남편이 먹고 담가 둔 그릇들을 닦고 청소기를 한 번 돌리고, 세탁기까지 돌려 둔 후에 홈쇼핑을 보면서 커피를 한잔 할 생각이었다. 오늘도 통화 한 번에 한 시간이 훌쩍 넘었다. 세탁 바구니를 들고 세탁기 앞으로 가며 쉴 틈이 없구만, 생각했다가 딸이랑 이렇게 통화하는 게 쉬는 거지, 생각을 고쳐먹는다. 며칠 전엔가 우리 큰애랑 비슷한 또래의 아들을 가진 친굴 만났다가 아들이 요새 뭘 하고 사는지도 잘 모른단 얘길 들었다. 전화는 5분이면 끝이고, 집에도 잘 오지 않더란다고. 몇 년 전의 우리 애랑 딱 닮았다고 생각하면서 '그럴 때가 있나 봐~ 기다려 봐, 우리 애도 그랬잖아. 근데 요샌 전화만 하면 두 시간이 훌쩍 지나간다니까.'

 탈수를 마친 옷들은 아직 눅눅하다. 접어뒀던 건조대를 편다. 오후의 햇살이 건조대를 건너서 거실 바닥 위로 떨어진다. 알루미늄으로 된 빨래 건조대의 매끈한 면과 찌그러진 면을 거쳐서 바닥에 불규칙한 반짝임이 떨어졌다.

오늘 날씨가 참 좋네. 빨래 잘 마르겠다.

그런 말을 했던 난 우리 딸을 얼마나 잘 알고 있을까. 오늘의 한 시간 통화 동안 애가 무슨 말을 했는지 잘 기억이 나질 않는다. 시답잖은 얘기들, 밥은 뭘 해 먹었고, 어제 도서관에서 어느 정도의 진도를 나가려고 했는데 다 하지 못했다고. 그래서 오늘 그것까지 포함해서 할 일이 많아. 다녀와서 청소하려구. 화장실 청소도 해야겠다. 같은 것들. 그런 시답잖은 얘기들. 처음 상담에 다시 다니게 됐단 얘기를 한 후론 그런 얘기는 먼저 꺼낸 적이 단 한 번도 없었다, 금기어인 것처럼. 축축한 빨래를 하나 집어 들어 허공에 착착 털고 건조대에 잘 걸어준다. 반듯하게 널어야 구김이 덜하다. 바닥에 그림자가 조금 더 늘었다. 그 애는 항상 그랬다. 어렸을 때가 아니고선 힘들단 말을 내게 한 적이 있었나, 힘들었을 것을 안다. 누구나 그러니까. 누구나 힘든 것들을 겪으면서 크니까. 나도 그랬고, 애 아빠도 그랬고, 둘째는 고3 때 힘들다면서 내 앞에서 엉엉 울었다. 엄마, 너무 힘들어, 너무 힘들어, 하면서. 요즘 막내도 곧잘 운다. 눈물이 많은 건 나를 닮아서 집에 와서 우는 일이 많곤 했다. 며칠 전만 해도 친한 친구랑 다퉜다면서 처음엔 흉을 보기 시작하더니 마지막엔 줄줄 울면서 걔 때문에 속상해 죽겠어, 하고. 그런데 큰 애는 그런 게 없었다. 우는 일이야 많았지만 내게 털어놓는 게 없었다. 내가 답답해서 앉혀두고 말해 보라고, 얘기를 해달라고 해도 끝까지 아무 말이 없었다. 더 어렸을 적엔, 그러니까 유치원에 다닐 때 즈음만 해도 그렇지 않았던 것 같다. 유치원에서 친구랑 싸우고 와서는 속상하다며 울고, 어딘가 다치면 아프다며 울고, 옆집 강아지가 무섭다며 울었다. 내게 곧잘 안겨서 울었다. 내가 그때 울면 안 된다, 울면 안 된다 해서 그럴까. 그런 걸까. 건조대 위로 놓이는 빨래들이 많아질수록 바닥의 그림자도 많아진다. 그런데 왜 말을 하지 않을까, 분명 힘이 들었을 텐데, 왜 내게 말하지 않았을까. 왜 힘이 든다 말하지 않고 상담을 다시 가게 되었을까. 무언가 있으니까 힘이 든 거 아닌가. 왜. 이윽고 세탁 바구니 속 빨래들을 다 널었다. 창으로 들어오는 빛을 받아 섬유의 한 올 한 올이 이따금씩 번쩍하는 것 같기도 하다. 방바닥엔 건조대에서 반사되는 작은 빛들을 빼곤 모두 그늘이 져버렸다.

–

  침대에 누워 허공에서 발을 동동 구른다. 여자는 곧 죽을 것만 같다. 숨이 막힌다.

  너무 캄캄해, 불을 켜야 돼. 죽을지도 몰라. 죽을지도 모른다고!

  허공을 동동 차던 발길질은 바닥을 내려찍는 것처럼, 사실은 반대로 무릎으로 자기를 내려찍고 있는 것처럼 모양새가 바뀌어서는 괴로워하다 바닥으로 굴러떨어졌다.

–

밖에 나가서 산책도 하고 그래, 우울하다고 집에만 있으면
더 우울해져.

나도 알지, 엄마. 세로토닌이라는 게 있대. 그게 빛을 보면
만들어진다더라고. 요즘 공부하면서 알았어. 그게 우울감이랑
관련이 있는 신경전달물질이래. 신기하지? 그놈이 부족하면
우울해진대. 그래서 요새 도서관 가기 전후로 산책도 하고,
아르바이트 끝나고 운동도 해.

잘하고 있네. 그래, 방에 커튼도 좀 걷어두고.

응, 알겠어.

오늘도 왜냐고 묻지 못했다. 내게 말할 수 없는 문제인지도
모른다. 얘기하기 싫은 문제일 수도 있다. 그럼 내가 묻는 것
보단 기다려주는 게 낫겠다고 생각했다. 오늘은 왠지 통화가
짧았다. 딸애가 도서관에 가야 하니 이만 끊자고 해서 알겠
어, 열심히 해, 하고 끊었다. 어제 널어둔 빨래들이 거의 다
마른 것 같다. 바닥에 깔린 카펫 위로 앉았다. 탁자에 놓아둔
커피를 홀짝 마시면서 빨래를 흘깃 쳐다본다. 오늘도 볕이

좋다. 옷들이 보송보송하게 잘 마를 것이다. 우리 애도 볕 받고 보송보송 말랐으면. 울지 않고 씩씩하게. 볕만 좋으면, 볕만 좋으면, 그 볕 받아 반짝반짝 빛이 났으면. 볕만 좋거든 보송한 향을 내면서 미끄러울 것 없이 마르는 옷가지들처럼. 하지만 내가 흘깃 본 옷 중에는 딸애의 옷은 단 한 장도 없었다.

—

　누나, 누나!

　바람이 동생의 목소리를 막아선다. 나는 아버지가 내게 하
시듯 아무런 소리도 듣지 못한 체를 한다. 작년 가을에 낫질
을 하다 베인 무릎이 괜히 아린 느낌이 든다.

　늦은 시간까지 동네를 뱅글뱅글 돌았다. 처음엔 동네를 가
운데 두고, 윗동네를 넘어가는 다리까지 갔다가 아랫 고개로
넘어가는 골목의 슈퍼까지 갔다가, 나중에는 우리 집 앞의
조그만 다리를 사이에 두고 뱅글뱅글 돌았다. 우리 집 강아
지처럼. 더 시간이 늦어지면 분명 혼이 날 텐데, 그걸 뻔히
알면서도 집을 코 앞에 두고서 뱅뱅이를 돈다. 내가 시곗바
늘이었다면 이렇게 돌았으면 벌써 3일 밤은 지났을 것이다.

　누나.

　다리 건너 골목 입구에서 남동생 목소리가 들린다. 컴컴해
서 아무것도 보이지 않았지만.

　누나. 집에 가자.

그래.

까만 마당을 뱅뱅 돌고 있는 강아지를 지나쳐 집으로 들어
간다. 집으로 들어가는 골목에서 내내 동생과 아무 말도 하
지 않았다. 동생은 우물쭈물 할 말이 있는 것 같았다. 비가
개고 난 뒤의 흐릿한 비 냄새, 그리고 그 축축함이 아직 가
시지 않은 공기 사이로 동생이 입술을 잘근잘근 씹어 나는
입 소리가 축축함에 붙어 아래로 떨어지고 있었으니까. 집에
들어가니 엄마가 잔뜩 화가 난 표정을 하고 있었지만 아무
말도 하진 않는다. 나는 그대로 밥상 앞에 앉았다. 고등어는
이미 먹어치워 사라진 뒤였다. 밥그릇에 밥을 조금 퍼와선
맨밥을 꾸역꾸역 삼켰다. 고등어라도 먹을걸. 고등어라도.

–

 남편이 결혼 전부터 하던 사업이 무너졌다. 결혼하며 들어와 살았던 집은 경매로 넘어갔다. 작고 지은 지 꽤 된 아파트였지만 들어가면서 인테리어도 새로 하고 살면서 아기자기하게 꾸며 놓은 모양이 퍽 마음에 들었다. 첫째가 태어나고 추억이 그득그득하던 그곳은 내가 팔고 싶어서가 아니라, 그냥 그렇게 넘어가 버렸다. 되도록 오래 그곳에서 살고 싶었다. 첫째가 좀 더 커서 그 집을 기억할 즈음이면 좋겠다고 생각했다. 여기에서 백일을 맞고, 돌을 맞았고, 처음으로 이가 난 것도, 처음으로 걸음마를 뗀 것도 모두 다 그곳이었다. 하필이면 둘째가 막 태어났을 무렵이었다. 우리 네 식구는 이제 살 집이 없었고, 하나 둘 팔고 보니 최소한의 살림과 첫째에게 입혔던 예쁜 원피스들만 남아 있었다. 남편과는 허구한 날 싸웠고, 갓난아기는 매일 울었고, 나는 하루가 다르게 지쳐갔다. 그즈음엔 많은 걸 놓고 살았던 것 같다. 내가 기댈 곳은 남편도, 애들도 아니고 사실 첫째에게 입혔던 예쁜 원피스들이었다. 나는 그 옷들을 둘째에게 입히지 않았다. 이제 어딘가 놀러 나갈 여력이 없었다. 돈이 없었고, 나와 애 아빠에게 시간도, 마음의 여유도 없었다. 영원하리라 맹세했던 사랑은 공사판의 먼지만도 못 하게 부서져서 모두 흩어졌다가 다시 모여 원망으로 쌓였다. 그렇게 우리 가족에게 사랑이 사라지고 생만 남게 되었다. 나는 다시 일을 시작했고, 아이들은 근처에서 자취를 하던 막냇동생이 데려다가 나와 교대로 돌보기 시작했다. 결혼을 하며 일을 그만뒀던 내가 할 수 있는 일도 많지 않아 처음엔 아르바이트를 했다. 불행 중 다행인지 오히려 그래서 동생과 내가 교대로 애들을 볼 수 있었다. 동생이 일을 하러 가는 시간을 피해 나는 저녁에 근처 식당에서 서빙 아르바이트를 하기 시작했고, 내가 출근하기 전 저녁밥이나 애들에게 필요한 것들을 준비해두고 가면, 아르바이트를 마친 동생이 자연스레 우리 집으로 와서 마치 근무교대를 하듯이 잘 부탁해, 인사를 나누고 하나는 집 밖으로 하나는 집에 머무르게 되는 것이다. 내가 퇴근을 하고 집에 돌아오면 씻고 잘 준비를 마칠 때까지, 11시 정도 즈음까진 아이들을 봐줬다. 가끔씩은 아이들을 하나씩 품에 안고 떠들다 시간 가는 줄 모르고 새벽까지 남았다 가는 날도 있었다. 남편은 밤낮없이 일하느라 정신이 없었고, 그렇게 우리 둘이 딸 둘을 키웠다. 동생은 내가 결혼을 일찍 한 것도 있고 동생이 동글하니 어리게 생긴 탓에 밖에선 종종 늦둥이 동생 둘을 데리고 다닌다든가, 아니면 사고 쳐서 낳은 딸이라든가 하는 오해를 사기도 했다. 막냇동생은 늘 자기도 동생을 갖고 싶다고 노래를 불렀었다. 시골이란 게 어디나 그렇듯 남의 집 우리 집 없이 오가다 보니 동네 여기저기에 동생의 동생을 자처하는 어린애들이 많았다. 심성이 곱고 사랑을 듬뿍 받으며 자란 막내가 여기저기 받은 사랑을 뿌리고 다녔던 것이다. 그즈음 저보다 한 두살 밖에 차이 나지 않는 동네 꼬마들에게 너 같은 동생 하나 있음 참 좋겠다, 라는 말을 입버릇처럼 하고 다닌 것도 그것이다. 시간이 더 지나 동생이 중학교에 가고 고등학교에 갈 때까지도 계속 이어졌다. 언니, 누나, 하며 따르는 동생들이 항상 많았다. 집에선 늘 챙김만 받고 잔소리만 듣던 막내가 밖에 나가 언니 소릴 들으며 챙겨주는 모습을 봤을 땐 사실 우습다, 생각했었는데 이렇게 나를 도와 아이를 돌보는 모습을 보니 내 그 생각이 참 우스운 생각이었구나, 싶었다. 나도 애를 볼 때 저렇게 웃고, 저렇게 예쁜 눈으로 아이를 바라보았을까. 아마 그렇지 않았을 거라고, 나는 거의 확신에 차서 지금에서야 이야기한다. 그때 우리 집에 사랑이라고 할 것은 사랑을 머금고 갓 태어난 아이들과 내 동생밖에 없었으니까.

–

 여자의 엄마가 주말에 들러 방에 꽃을 꽂아두고 갔다. 여자
는 심드렁하게 앉아 턱을 괴고 꽃을 본다.

 난 꽃을 좋아해 본 적이 없어. 예쁘다고 생각한 적도.

 좋아하지도 않는 꽃잎을, 혹시라도 상할까 봐서 살살 손끝
으로 만졌다가 코 근처로 가지고 간다.

 향기롭다고 생각한 적도 없고.

그렇게 말하곤 한참을 더 쳐다봤다.

–

아버지의 뜻대로 상업고등학교에 진학한 나는 그럭저럭 적
응하며 지냈다. 농사라고 하면 신물이 나서 상고를 택해 이
곳으로 왔지만 여전히 농사일을 도운다. 학교를 마치면 집으
로 곧장 가서 옷을 갈아입고 다시 밭으로, 논으로 나간다. 가
면 아직 어린 동생들이 나를 보고 손을 흔든다.

언니, 이것 봐라. 올챙이.

올챙이 처음 보니.

막내가 논물과 함께 올챙이를 떠와서 내게 보여준다. 시큰
둥하게 대답하곤 얼른 다시 풀어줘, 올챙이들은 피부가 여려
서 우리가 만지면 아파해, 하니 동생이 화들짝 놀라며 다시
물속으로 올챙이를 넣어준다.

것 봐, 내가 만지지 말라고 그랬지?

막내보다 한 살 많은 넷째가 핀잔을 준다. 남동생이 모판을
들고 서서 멀뚱히 쳐다보다 흙길 위에 모판을 내려놓곤 그
옆에 털썩 앉는다.

올챙이가 크면, 개구리가 되는 거야. 너 개구리, 싫어하잖아.

남동생이 말하니, 막내가 입술을 비죽 내민다.

나도 알아, 개구리는 징그러워도 올챙이는 귀엽잖아. 아직 애기잖아.

그 애기가 크면, 그 징그러운 개구리가 되는 거라니까? 어차피, 같은 거라고.

나도 안다니까!

티격태격 실랑이를 한다. 아마 막내를 놀리려 시비를 자꾸 거는 것이겠지. 아버지가 논의 저쪽 끝에서 모를 내다가 남동생을 부른다.

얼른 안 가져오고 뭐하니!

멀리서 메아리쳐 들려오는 소리가 꼭 귓가에서 말하는 것처럼 귓속으로 파고 들어온다. 아버지는 우리가 실없이 떠드는 것을 싫어하신다. 우리에게 말을 할 때도 꼭 필요한 말 이상으론 하지 않으시고, 우리 역시 그러길 원하신다. 남동생이 다시 벌떡 일어나 모판을 잡아 올린다.

예에, 가요!

내가 상고로 진학한 후로는 통 남동생과 대화를 하는 일이 없어졌다. 그 전까지만 해도 남동생은 우리 다섯 남매 중에 나를 유난히 잘 따르는 편이었다. 오빠는 아버지를 닮아 말수가 통 없었고, 여동생들은 제 둘째 오빠를 퍽 좋아하는 것 같았지만 이 애는 그 둘을 귀찮아하는 기색이었다. 나와 세살 터울이지만 나와 취미나 취향 같은 게 잘 맞아 퍽 잘 어울렸던 것이다. 사실 이전에 언덕에 앉아 나눴던 말들이 마지막이었다고 해도 과언이 아니다. 내가 무어라 말을 걸어도 딱히 목소리를 내어 대답하지 않는다. 고개를 끄덕이거나 가로젓는 것 정도는 하지만 그 이상의 말은 하지 않았다. 그럴 때마다 아버지나 오빠가 생각나면서도 그래도 그 사람들은 할 말은 한다고! 하고 속에서 불길이 솟았다. 말을 좀 더 걸어볼까 하다가도 나는 이내 그만두었다. 말을 꼭 해야 할까. 그건 내 자존심인지도 모른다. 니가 공부를 하든 말든, 대학을 가든 말든, 니가 무얼 하는 것과 내 인생은 사실 아무 상관없는 것이라고 말하고 싶었다. 하지만 전혀 그렇지 못하다는 것을 알고 있다. 나는 남동생을 대학에 보내기 위해 상고에 진학했고, 고등학교를 졸업하면 취직을 할 것이다. 버는 돈은 집으로 가져다 줄테고, 동생의 학비가 되어 줄 것이다.

 나는 유달리 아이를 좋아하기도 하고, 공부를 하는 것도, 가르쳐 주는 것도 좋아해서 선생님이 되고 싶었다. 초등학교 선생님. 5학년이었던가, 젊은 여자였던 담임 선생님이 뺨을 갈긴 일이 있고 나선 더 선생님이 되고 싶었다. 그건 저런 인간도 선생질을 하는데, 하는 그 사람에 대한 경멸이기도 했고, 내가 선생이 된다면 아이들을 더 사랑해 줄 수 있을 것이라는 자신감이기도 했다. 그 어느 것이 이유가 됐든 선생님이 되고 싶었다. 내가 좋아하는 책인 헬렌 켈러 위인전에서 나는 설리번 선생님을 만난 대목을 정말 좋아한다. 그게 사실 내가 그 책을 좋아하는 이유의 전부이기도 하다. 내가 선생님이 되어도 그런 위인이 되진 못하겠지, 하지만 그 발끝이라도 따라가려고 노력하는 선생이 되고 싶다고, 늘 생각했다. 하지만 지금쯤에야 그런 생각이 무슨 소용이 있을까. 나는 선생님이 되긴 글러 먹었다. 다른 무엇도 될 수 없다. 나는 너를 위해 사는 사람, 너, 나의 남동생, 우리의 아들, 너. 나는 그런 존재로 태어난 것이겠지. 이런 마음으로, 나는 일종의 심술을 부린다. 니가 뭔데 내가 먼저 억지로 말을 붙여봐도 아무런 대답도 없이 그냥 고개만 까닥이는 거야. 니가 뭔데. 니가 우리의 아들이라 유세라도 떠는 거냐, 그런 게 아니란 걸 알면서도 이렇게 심술을 부리는 것이다. 내 속을 니가 얼마나 안다고. 나를 얼마나 이해한다고. 나 대신 돈을 벌 수 있는 건 그 애가 아니다. 그건 나의 오빠가 하게 될 일도 아니고, 그 아래로 있는 여동생이 하게 될 수도 있는 일이란 얘기다. 그래서 나는 내가 꿈을 이루지 못하게 된 것을 하나 있는 남동생 탓을 한다. 니가 없었으면 나는 선생님을 할 수 있었을 것이라고.

어린 여자애 뺨이나 때리는 그 선생은 무슨 재주를 타고나 선생님씩이나 될 수 있었을까. 내가 5학년 때의 일이라고 치면 12살이었다. 막내 손을 잡고 동네를 쫄래쫄래 거니는 넷째를 보고 있노라면 나는 종종 그때 생각을 한다. 나는 곧 죽어도 저런 애들 뺨을 때리진 못하겠다고. 그 여자는 나한테 없는 무언가를 가진 걸까, 아니면 나한테 있는 무언가를 그 여자가 가지지 않았던 걸까. 어린 여자애의 뺨을 잘 때리는 게 혹시 선생이 될 자격이 되는 건 아닐까, 선생이 되는 시험을 볼 적에 어린 여자애들 데려다가 뺨을 때려보는, 그런 엉뚱한 생각도 해본다. 내 또래 애들 중에서 선생한테 뺨을 맞아보지 않은 애는 없을 테니까. 여자애고 남자애고 선생님의 손바닥이 뺨에 닿을 때 얼마나 매서운 소리를 내는지 모르는 애가 없을 것이다. 허공에 오른손을 휘둘러 본다. 앞에 애 하나가 서 있다고 생각하고. 순간 남동생의 얼굴이 스쳐 지나간다. 나는 그래서 잠깐 놀랐다가, 다시 허공에 손을 휘둘러 본다. 내 손에도 사람의 뺨이 스치면 그렇게 매서운 소리를 낼까. 나는 이런 생각이 들 정도로 내 동생이 미운 걸까.

남들은 다들 그렇게 잘들 산다. 우리 엄마도 그렇게 남동생을 키웠노라고 자랑스레 얘기했었다. 내 친구 윤희도 상고에 들어갔다. 윤희의 꿈은 사실 처음 만났을 때부터 그랬다. 그 애는 그나마 집에 자식이 둘 뿐이라 나와 같은 중학교를 갔지, 그도 아니면 산업체에 들어가 일을 하며 학교를 다니고 그렇게 졸업을 간신히 하는 친구들도 많았다. 윤희는 처음부터 제가 돈을 벌어 동생을 키울 생각이었다. 나는 실업계에 가서 기술 배울 거야, 동생 학교 보내야지. 그 녀석은 똘똘해서 공부를 아주 잘 할 거야. 동생은 아마 학교를 보내면 큰 사람이 될 거야. 얘, 우리 집에서 용 나는 거 봐라. 내가 보여준다니깐, 하고. 다들 그렇게 살고 있단다. 내 단짝도 그렇단다. 그런데 나는 왜 이리도 욕심이 많은지. 가진 것도 없는 게, 남들 흔히 먹는 곶감도 나는 남동생에게 빼앗겼는데도 나는 욕심을 부린다. 내놔, 니 곶감. 빼앗고 싶다. 빼앗고 싶어. 하지만 빼앗으면 혼나겠지. 아버지께 혼쭐이 나겠지. 아버지가 너를 주려고 어머니에게 시켜 만든 곶감.

—

  최근 일주일 내내 비가 내려 부쩍 바람이 서늘해졌다. 지난 일주일 동안 딸애는 한 통의 전화도 하지 않았다. 나 역시 하지 않았다. 뭔가 일이 있었으면 좋겠다고 생각했다. 우리 집에 무슨 일이 생겨서 딸애에게 연락할 수 있을 만한 핑곗거리가 되어주었으면 좋겠다고. 그렇게 하루가 지나더니 하루가 쌓이다 쌓여 일주일이 되어버렸다. 평소 같으면 편하게 전화를 해서 아무렇지 않게 떠들었을 아무런 것도 아닌 이야기들은 그 핑곗거리가 되지 못했다. 그 일주일 동안 나는 즐거웠다. 그건 평소와 같았다. 고등학교 동창 친구들과 이어나가고 있는 모임에도 참석하고, 문화센터에서 듣고 있는 꽃꽂이 강의도 다녀왔다. 다음 주에 친구들과 제주도로 여행을 갈 계획이라 새 캐리어를 사러 다녀오기도 했다. 집에 있던 캐리어를 딸애가 가지고 가서 아직 돌려주지 않았으니까. 캐리어 쇼핑에 막내아들이 쫓아와서 그날은 함께 장을 보고 짐꾼도 되어주었다. 막내는 수다쟁이에다가 애교도 많아 함께 있으면 늘 정신이 없다. 그렇지만 그게 즐거움이 되곤 한다. 내가 무뚝뚝한 탓에 꾸준히 그러기 쉽지 않을 텐데 아무래도 기질이 그런 듯하다. 즐거운 일주일 사이에 큰애는 어디에도 없었다. 작은애는 워낙 독립적인 성향을 가지고 있기도 하고, 큰애와 같이 살고 있는 탓에 항상 큰애가 나와 오랫동안 통화를 하고 동생에게 전달해주곤 하기 때문에 평소엔 워낙 왕래나 전화통화가 없었지만 괜히 전화를 한 번 걸어보기로 했다. 둘째가 받아선 특유의 심드렁한 태도로 왜 전화했어? 웬일로? 라고 했던 것 같다. 그냥 둘째 딸 잘 지내나 해봤지~, 하곤 별다른 얘기 없이 학교 얘기나 여행 간단 얘기 같은 걸 나누다가 말았다. 둘째 입에서 큰애 이름이 나오지 않은 걸 다행이라고 생각하며 전화를 끊었다. 그 애 이름이 나온다면 필시 안 좋은 일일 거라고, 은연중에 그런 생각을 하고 있었다. 걷어온 빨래를 개어놓으려고 끙하며 바닥에 앉았다. 옷들 여기저기를 손바닥으로 눌러 만져본다. 널어놓은 지 이틀이나 됐는데 계속 우중충했던 탓에 빨래가 눅눅하다.

–

여자는 방바닥의 가운데 조그만 원을 머릿속으로 그리고 있다. 그리고 그 원의 끝나지 않는 선분을 쫓아 뱅글뱅글 돈다.

난 돌고 있어. 제자리를. 어쩌면 제자리가 아닌 곳을. 돌고 있어. 돌고 있어. 언제까지. 모르겠어. 나는 그냥 돌고 있어. 엄마. 나는 돌고 있어.

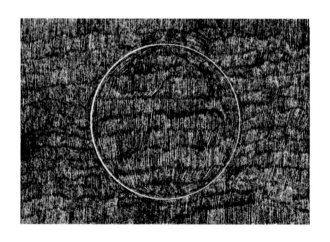

—

오전에 윤희를 만나 점심을 먹기로 했다.

오늘도 잘 안 마르겠네.

비가 오는 창 밖을 한참 허망하게 보다 핸드폰을 켜 날씨를 검색해보니 이번 주 내내 비가 올 거란다.

볕 기다리다간 답이 없겠다.

또 혼잣말을 중얼거리곤 세탁을 마친 옷들을 꺼내왔다.

우리가 처음 만난 게 15살이었는데, 우리 애들이 벌써 나이가 스물이 훌쩍 넘었다.

그러니까. 시간 참 빠르네.

윤희네는 우리 애들 또래의 아들이 둘이 있다. 어려서부터 애들이 반듯반듯하더니 그 모습 그대로 커서 말썽 한 번 없이, 윤희의 속을 썩이는 일 없이 잘만 자라왔다.

애, 우리 옛날에 고등학교 다닐 때 했던 얘기 기억나니?

무슨 얘기?

윤희가 차를 마시다 말고 별안간 번뜩인다. 아주 재미있는 얘기를 할 것처럼. 윤희는 목소리도 작고 아주 조용하면서도 즐거운 일이 떠오르면 금방 날아갈 것처럼 엉덩이를 들썩이는 버릇이 있다.

우리, 각자 아들 딸 나눠 낳으면은 애들끼리 결혼 시키자구 그랬잖아~, 왜. 생각 안 나?

그랬었다. 고3이 되고, 나와 윤희는 취업을 하며 각자 다른 길로 흩어졌었다. 내가 먼저 취직해서 회사 기숙사로 이사를 가던 날, 대수롭지 않아 했던 나와 다르게 윤희는 엉엉 울며 내 손을 잡고 아쉬워했었다. 그 날 윤희의 등쌀에 못 이겨 다리 근처에 새로 지은 정자에 앉아 그런 얘기를 했었다.

아아, 생각나지. 언제 얘기했는지도 기억나는 걸. 근데 요즘 세상이 어느 땐데! 우리가 결혼시키고 싶다고 시키니.

애들끼리 좀 만나보라고 할까?

그것도 애들이 바라야 말이지. 게다가 우리끼리 어린시절에 우스갯소리로 한 걸 요즘 시대에 무슨.

왜애, 그러니까 한 번 물어나 보자 이거지, 우리 아들한테는 어렸을 때부터 내가 계속 얘기했는걸?

조용한 윤희는 즐거운 일에는 이렇게 물고 늘어지는 고집이 있다.

애, 너네 아들이야 번듯하니 사윗감으로 아주 좋지. 애도 멀 끔하고 착하잖아.

왜애! 너네 큰 딸이랑 나이 차이도 얼만 좋니. 너네 큰 애도 나는 참 참하고 바르고 싹싹하고 좋던데!

한참을 이 일로 실랑이를 했다. 카페 창밖엔 밥집에 있을 때보다 비가 더 쏟아지기 시작해서 이제 주룩주룩, 끝이 나지 않을 것처럼 내리기 시작했다.

요새 비가 계속 오네.

말을 돌려 창밖을 내다보았다가, 안방에 널어두고 온 빨래가 생각났다. 그리고 당연스레 큰애 생각도.

말 돌리려는 거 모를까 봐, 어떠냐니까. 애한테 가서 물어봐봐~.

아유 기, 고집은! 우리 애 분명 싫다고 할 거라니까. 자긴 결혼 안 할 거라고 했어!

그래도 물어봐~.

늘어지는 윤희의 말끝을 따라 손사래를 치며 알겠다고, 알겠다고 해 버렸다. 윤희는 큰애가 태어났을 때부터 그 애를 좋아했다. 방긋방긋 잘 웃는다며. 윤희도 아직 첫애만 있을 때라, 작은 꼬마를 하나 달고 자주 집에 놀러 왔었다. 윤희네 아들도 어설픈 말투로 '애기, 애기'하며 우리 애 곁을 맴돌았다. 애는 하나만 낳겠다던 윤희가 마음을 바꿔 먹은 것도 그 모습을 보고 난 후였다.

요새 빨래가 통 안 말라.

왜 이렇게 정신을 빼놓고 있어, 아줌마? 그래서 우리 며느님은 서울에서 잘 지내냐니까.

**내가 멍하니 비를 보고 있으니 윤희가 닦달을 한다.**

으응, 잘 지내지, 영민이도 잘 지내고?

그쪽 사위도 잘 지내지~, 이번에 들어간 회사에서 대우를 잘 해주나 봐. 괜찮게 다니고 있는 것 같아. 자기 적성에도 잘 맞는 것 같고. 근데 며느님은 취직은 여전히 생각 없으시대?

뭐, 그렇지. 자기 하고 싶은 게 있다니까. 그래도 알바라도 하면서 자기 몫은 해.

하고 싶은 게 있는 게 너무 멋있어. 우리 아들이 더 멋있어져야 며느님한테 어울릴 텐데.

뭐라는 거야, 너는 생판 남이니까 그런 얘기하지.

왜, 자부심을 가져, 자부심을!

영민이가 그래 봐라, 너 맨날 천날 나한테 전화해서 죽는소리 할 거야, 아마.

비가 그칠까. 일주일이 지난 이 다음 주에는.

–

  어두컴컴한 방 안에, 노트북을 켜고 앉아있는 여자. 어떤 글을 쓰는 데에 몰두한 듯하다. 쉼 없이 손가락을 움직이다 잠시 멈칫하더니 책상 위로 머리를 쾅 떨어뜨린다. 그리곤 소리도 내지 않고 엉엉 울고 울었다. 밤이 지나가는 내내.

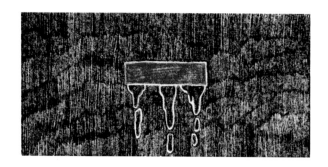

–

뱅뱅 도는 강아지를 마루에 앉아 멍하게 쳐다보고 있었다.

애, 너는 무얼 찾아 그렇게 뱅글뱅글 도니?

내가 불러도 이제 나를 쳐다보지도 않는다. 턱을 괴고 앉았다. 옆집 담 너머로 흙길을 터덜거리고 걸어오는 소리가 들리더니 금방 익숙한 다리가 삐둘빼둘 꽂힌 나뭇가지들을 지나 마당으로 들어온다. 시커먼 다리를 타고 올라가 얼굴을 보니 동생이 들어오는 모양이었다.

어디 다녀와?

여전히 우리는 말을 하지 않는다. 사실 나는 이 관계가 굉장히 일방적이라고 생각한다. 나는 말을 계속 거니까, 계속, 계속. 나를 향해 말하는 소리를 들은 건 족히 1년은 된 것 같다. 작년 이맘 즈음, 내가 고등학교에 입학하기 전이었으니까. 선선한 가을바람에 묻혀가던 남동생의 목소리를 들은 게 마지막이었으니까. 여전히 고개만 까닥까닥 움직인다. 말없이 신발을 내 신발 옆에 벗어두고 올라가려 한다.

애, 앉어봐, 여기.

하면서 손목을 잡아챘더니 그새 키가 많이 커서 앉아서 그 애의 손목을 잡으려니 생각보다 팔을 높이 들어야 한다는 걸 이제야 알았다. 여전히 말이 없다. 신경질이 난다. 정신없이 마당을 돌고 있는 저 개 때문이다. 저놈 때문에, 저놈이 정신 없게 하니 내가 성이 나서, 그래서 동생을 미워하고 있는 거 라고 착각하는 거다. 동생을 미워하다니, 누나가 되어서 동생 을 미워할 수 있겠는가.

애.

누나.

1년 만에 들은 동생 목소리는 변성기가 막 시작되려 하는 탓인지 조금 변해있었다. 나는 오히려 말을 했다는 데에 놀 랐다. 무서운 걸 보듯이 찬찬히 손목을 따라 고개를 들어 동 생 얼굴을 바라보았다.

앉아 보래두.

내가 이어 말했으나, 내 말을 찬찬히 쳐다보는 동생 얼굴은 잔뜩 화가 나있었다. 너도 저 개 때문에 화가 난 것이지? 네가 나를 미워할 이유가 없잖아. 나는 너를 위해. 난 너 때문에.

　동생은 그 이상은 말을 하지 않았다. 생각해보면 다정한 목소리는 아니었다. 분노를 찌그러 삼키는 목소리. 성대를 꾸욱 눌러, 이를 앙 물고 뱉은 소리. 조금만 더 입을 열면 툭툭 입 밖으로 몹쓸 말들이 튀어나올까 봐 차라리 아무 말도 하지 않을 것이라는 그 목소리. 동생은 말없이 제 손을 잡아당겨 내 손 안에서 벗어나고는 제 방으로 미련 없이 들어가 버렸다. 나는 손에 있던 걸 힘도 한 번 못 써본 채 멍하니 놓쳤다.

–

　큰애와 다시 전화통화를 하게 된 건, 그로부터도 일주일이 더 지나서였다. 결국엔 참지 못한 사람이 전화를 걸게 되는 것이다. 그건 나였다. 도무지 다른 일에 집중하기가 힘들 정도로 그 애가 생각나서 핸드폰을 켰다 껐다 일주일 내내 반복했다. 통화 버튼 앞에서 손가락이 우물쭈물한 것은 족히 백 번은 될 것이다.

　여보세요.

　평소와 달리 차분한 목소리로 전화를 받는 그 애. 사람 목소리가 보였다면 지금 이 녀석의 목소리는 떨어지는 빗방울 같았을 것 같다. 우렁차게 지붕을 내려찍던 것과는 달리 힘 없이 처마 끝으로 주루룩 흘러내리던, 그런 목소리로 '왜?'라고 말을 이어 붙여 온다.

　그냥 해봤어, 심심해서. 거기 비 안 오니?

　응, 여기 비 안 오는데. 맞아, 거기 계속 비 왔다며? 뭔 일이래, 장마철도 아닌데.

그러니까, 빨래가 안 마른다니까.

그런 목소리치곤 하는 얘기나 말의 본새가 아무 일도 없는 모양이다. 도리어 그게 더 이질감 느껴질 정도로. 방금 막 널어둔 빨래를 넌지시 바라본다.

여긴 해가 쨍쨍해서 요새 빨래가 잘 말라, 좋아.

그래?

그래서 내가 묻고 싶은 건 달리 있었다.

응, 하루면 빨래가 금방 마르던데.

너는 그래서 좀 말랐는지. 나는 그게 궁금했다. 연락을 하지 않았던 몇 주 동안 너는 무얼 하고 지냈는지, 먼저 묻지 않아도 네 입에서 술술 나오던 그 일상이 궁금했다. 엄마, 뭐 해, 하고 전화를 걸어왔던 네가 갑자기 잠잠해졌던 그 이유가 궁금했다.

엄마, 나 지금 도서관에 있어서 다시 들어가 보려고, 왜 전화했어?

아, 도서관에 있어? 별일 아니야, 들어가~.

알겠어. 안녕.

전화기를 내려두고 한참 동안 애먼 방바닥을 멍하니 바라보
았다. 어렸을 때, 고등학생 즈음해서였나, 집에서 키우던 개
가 마당을 빙빙 돌던 모습이 떠올랐다. 텅 빈 방바닥 위로
몸에 진흙을 잔뜩 묻힌 개가 뱅뱅 돈다.

–

　그 뒤로, 그나마 고개라도 까닥이던 동생은 이제 나를 거의 본체만체한다. 한동안 신경이 쓰이던 나는 이제 그게 익숙해졌다. 마당을 뱅글뱅글 도는 개를 보는 것만큼.

–

 개가 죽었다. 들짐승이 물어 죽인 건지 뭔지, 학교에 가려고 일어나서 먹지도 않는 개밥을 챙겨라도 주려고 마당에 나갔다가 소리를 지르는 바람에 온 가족이 깨어 일어났다. 지난 저녁부터 새벽까지 내린 비에 진흙이 된 마당 가운데 빗물 웅덩이 대신 피 웅덩이가 졌다. 가까이 가서 개를 보는데 어찌 그리 말랐는지 내 손에 들린 개밥그릇만 괜히 한 번 쳐다보았다가 그 옆에 내려두고 방으로 들어왔다. 들어오는 참에 내 비명을 듣고 나왔던 남동생이 개를 보고 달려가는 그 옆을 스쳤다. 방에 들어와 눈물도 흘리지 않고 빈 벽을 쳐다보고 있었다. 내 눈앞에 서 있던 벽이 스윽 눕더니 바닥이 되고, 그 위로 우리 집 개가 뱅뱅 돈다. 바짝 마른 개가 뱅글뱅글 돈다. 나는 진흙이 묻잖어, 하며 물을 한 바가지 퍼가지고 가까이 가는데 개는 멈출 기색도 없이 돌다 돌다가, 갑자기 내달리기 시작했다. 비가 한 바가지 쏟아지기 시작한다. 빙빙 돌고 또 돈다. 빗물이 사방으로 튀고, 발아래서부터 진흙이 온몸으로 튕겨져 묻어나간다. 진흙이 다 묻잖어, 하며 불러도 멈추질 않다가 내가 멀찍이 서 있는 남동생을 부르니 갑자기 내 앞에서 멈춰 섰다. 그리곤 픽 쓰러져 눕는 것이다.

 아마 잠시 꿈을 꾼 건지 눈앞에서 모든 게 하얗게 멀거졌다. 벽도 다시 그대로 서 있고, 무엇 하나 바뀐 게 없었다. 밖에서 남동생이 엉엉 우는 소리가 들렸다. 나는 불러주지 않았던 그 개의 이름을 한 글자 한 글자 소중하게 부르면서.

–

  이제 나는 그 애의 생각을 도통 모르겠다고, 그런 생각을
자주 한다. 딸애와의 전화통화는 그 횟수가 늘어날 기미가
보이지 않았다. 내가 먼저 전화를 해도 할 일이 많다며 금방
끊어버리기 일쑤였다.

–

 엄마, 죽을 날을 앞두고 있어요. 이제 곧이에요. 엄마한테
할 말이 많은데 아무 말도 하지 못하고 있어요. 쓰다 만 편
지를 남기고 갈 것 같아요. 나는 왜 이렇게 엄마 생각만 하
면 눈물이 나지. 이렇게 되기 전에 한 번이라도 엄마한테 힘
들다며 안겨 울었더라면 여기까지 오지 않았을지도 몰라요.
하지만 엄마, 나는 무서웠어요, 모든 게.

–

  그 애는 어렸을 때 참 여렸다. 여렸다는 표현이 맞을지 모
르겠다. 예민하고 까탈스러웠다. 그러면서도 겉으로 보기엔
조용하고 차분해서 그 예민함을 어떻게 맞춰줘야 할지 곤욕
스러웠다. 새벽 두 시가 넘도록 애 아빠가 들어오질 않고 있
다. 화가 나서 문고리를 전부 걸어 잠갔다가도 다시 몇 개를
풀러 둔다. 열쇠로 따고 들어올 수 있도록. 아이를 한 팔로
안고 시계를 한참 노려본다. 또각. 또각. 이따금씩 초침 소리
가 사람 발소리인 줄 착각하고 문을 한 번씩 쳐다보지만 내
화가 점점 더 차오르는 소리일 뿐이다. 문제는 이 시간까지
잠을 안 자고 깨어 있는 딸애도 문제였다. 이 녀석, 도통 잘
생각이 없는지 울지도 않고, 웃지도 않고 멀뚱멀뚱 나를 바
라보았다가 천장을 바라보았다가. 누구네는 토끼 같은 자식과
여우 같은 아내가 있어 집에 빨리 돌아가고 싶다 한다던데,
그게 거짓말인 건지 내가 여우 같지 않아 그런 건지 모르겠
다. 그나마 조용히 있던 딸애도 울기 시작한다. 이럴 땐 도무
지 어떻게 해야 할지 모르겠다.

  아가, 아가, 제발 잠 좀 자라.


  아기를 둘러업고 방안을 서성거린다. 노래를 불러주었다가,

등을 토닥였다가, 책을 읽어준다. 아기는 잠깐 울다 그치고, 또다시 울기를 반복한다.

도대체 뭐 때문에 그러는 거야. 왜 잠을 못 자는 거야.

울기는 내가 울고 싶은 심정이다. 이 애가 태어나고 나서 단 하루도 편히 자본 적이 없다. 이렇게 늦게까지 깨어 있다가 겨우 재워둬도 얼마 안 있어 다시 깨어나 빼액 울음을 터뜨린다.

말이라도 좀 해봐, 그래야 엄마가 알지. 엄마도 다 해주고 싶어.

애원하다시피 아이를 어르고 달래다 보면 결국 마지막에 우는 사람은 내가 된다. 달칵, 달칵, 하고 열쇠 구멍에 열쇠를 넣고 덜컹거리는 소리가 들린다. 새벽 네 시가 되어서였다. 그런 일은 두어 번인가 반복되다가 일상이 되어버린다. 그럼 딸애와 씨름을 하는 것도 온전히 내 몫이 된다. 하루도 모자라 밤사이까지 잠을 안 자고 까탈을 피우면 나는 어찌할 바를 모르고 발을 동동대다가 포대기를 둘러 아이를 업고 동네를 뱅뱅 돈다. 다리는 퉁퉁 붓고 골목 어귀에서는 출근하는 아저씨들이 대문 밖으로 나서는 게 보였다.

딸애는 낯도 많이 가렸다. 그 탓에 동네에서도 곧잘 겉돌았다. 어른들은 엄마 껌딱지네, 라며 마냥 귀여워했지만 엄마의 입장에서 퍽 좋은 소리로만 들리진 않았다. 커서도 이러면 어떡하나, 친구 하나 사귀려나, 친구들 틈에 끼지 못하고 내 치맛자락을 붙들고 있는 아이를 보면 꼭 그런 생각을 했다. 사실 딸애를 귀여워하던 동네 아줌마들도 속으론 그렇게 생각했을 것이다. 저렇게 낯을 많이 가려 어쩌느냐고. 나와 둘이 있을 땐 재잘재잘 아직 익숙지 못한 발음이라도, 내가 잘 알아듣지 못하더라도, 알아듣지 못한다고 역정을 내면서도 금방 떠들고, 금방 웃으면서도 다른 사람만 있으면 입 한 번 벙긋을 안 했다. 사람들이 은연중에 저 애가 혹시 말을 못 하는 건 아닌가, 생각했던 것도 잘 알고 있다. '아니야, 저번에 보니까 말 잘만 하더만, 우리 애보다 더 말 잘해.'라고 하는 걸 엿들었으니까. 이렇게 말도 잘하고 똑똑한데, 웃으면 이렇게 예쁜데, 네가 웃으면 모든 사람들이 아이구, 예뻐라, 예뻐해 주지 못해 안달이 날 텐데. 조바심이 났다. 애 아빠와 외식을 하러 나갔다가 숟가락이 모자랐던 일이 있었다. 딸애에게 '저기 아주머니한테 가서 숟가락 하나만 주세요~, 해.'라고 했다 그 날 사달이 났다. 나랑 실랑이를 하던 딸이 대성통곡을 하며 드러누웠으니까 말이다. 유치원을 다니기 시작하면 좀 덜 해질 줄 알았다. 아무래도 또래 친구들과 제대로 사귀어 본 적이 없어 그럴 수도 있겠단 생각이 들어 뒤늦게 유치원에 입학시켰다. 수업 참관에 가서 본 딸의 모습은 여느 때와 다름없었다. 다른 친구들이 모두 웃고 떠들어도 딸애는 웃지도 않고 조용했고, 같이 떠들기보단 책상에 턱을 괴고 앉아 한쪽 귀를 막고 있었다.

왜 친구들이랑 안 놀아?

친구들이랑 왜 놀아야 돼?

딸애는 내 질문에 꼭 그렇게 되물었다. 그리곤 자기도 친구가 있다며, 한두 명의 이름을 끌어다 부를 뿐이었다.

애는 나랑 친해. 흙놀이하면 나랑 꼭 같이 놀아. 원래 짝꿍이 아니었는데, 애가 선생님한테 말해서 짝꿍도 됐어.

어눌하게 어른을 흉내 낸 발음으로 내게 그런 말을 하곤 했다. 그리고 사실 다들 친구들이라고, 그냥 다 친구라고, 그러면서도 낯을 가리느라고 말을 제대로 하지 못하는 딸의 모습을 보면 속이 터지는 건 나였다. 왜 이렇게 답답한 소리를 하지. 말도 못 걸고 끼어서 놀지도 못 하면서 왜 친구라고 하는 걸까. 아가, 그 애는 너를 친구라고 생각하지 않아. 언제나 그런 생각을 했지만 그런 얘길 해도 지금은 이해하지 못할 거라고 생각하며 그냥 고개를 끄덕여주는 것만이 내가 할 수 있는 전부였다.

 내 앞에서는 그래도 조잘조잘 잘 떠들던 애가 어느 때가 되니 입을 꾹 다물어버렸다. 별것도 아닌 이야기들은 별것 아니라는 듯이 술술 떠들다가도, 정작 내가 궁금해하는 것들은 이야기해주지 않았다. 얘기하기 싫은 탓이려니, 사춘기려니, 때가 되면 얘기해주려니. 이제는 스물도 훌쩍 넘긴 딸애가 말을 못 할까 봐 걱정할 때도 아니니 때를 기다리면 되는 일이라고 생각했다. 그건 내가 이 애와 20년 넘도록 함께 살며 터득한 하나의 대화법이었고, 기다림이었고, 배려였다.

–

남동생은 그 후로, 나뿐만 아니라 다른 사람과도 말을 잘하지 않았다. 죽은 개는 남동생이 손수 묻어주었다. 그리고 이따금 새벽에 혼자 종종 우는 소리를 내는 걸 들었지만 나는 아무것도 하지 못하고 마냥 듣고만 있었다. 벽 너머로 끙끙 울음을 참으며 우는 걸 듣고 있자면 그 날의 새벽 공기가 유난히 차게 느껴졌다.

밤이 되면 그 날의 아침의 창백한 햇살과 정오의 맑은 볕도, 해가 떨어지기 전 마지막을 힘을 내 뽐내는 예쁜 노란빛도, 해질녘의 노을까지, 온 하루를 머금고 캄캄하고 캄캄한 검은색이 된다. 빛이 나던 햇살은 흐릿한 달빛과 별이 되고, 볕 받아 반짝이던 잎사귀들은 그저 검은 덩어리가 된다. 그럼 겁이 많은 나는 뒷간에 가다가도 그 검은 덩어리를 보고 한 번씩 화들짝 놀란다. 나는 한참 동안 그 덩어리를 노려보다가 풀 뭉텅이구나, 하곤 멀뚱히 서있는다. 그 진창이 됐던 개의 털을 한 번 더 쓰다듬어줄걸. 마당을 뱅뱅 돌 적에 말만 그만해라, 그만해라, 하지 말고 번쩍 안아다 품에 안고 입을 맞춰줄 것을. 깊어진 새벽엔 그 검은 밤을 먹고 더 검어져서 풀 뭉텅이를 보고도 죽은 개를 떠올리고, 나는 깜깜한 것을 기회 삼아 별도 못 볼 울음을 터뜨린다.

—

  딸애는 크면서 종종 같은 질문을 여러 번 해오곤 했다. 이를테면 엄마는 아빠랑 왜 결혼했어? 라던지, 어렸을 때 나 어땠어? 라던지, 예전에도 해줬던 대답을 똑같이 하면서 생각해본다. 내 대답이 딸애의 마음에 드는 어느 부분이 있는 건 아닐까, 저 말에 딸이 듣고 싶어 하는 말이 있어서 계속계속 물어오는 건 아닐까. 내게 뭔가를 확인하고 싶은 걸까, 아니면 반대로 내 말에서 확인을 받고 싶은 건지도 모른다. 어쩌면 나를 시험하고 있는 것인지도. 하지만 그 이유를 딱히 묻진 않는다. 모르면 모르는 대로 지나쳐가고, 또다시 내게 같은 걸 물어오면 나는 또다시 같은 것을 궁금해한다. 왜 계속 같은 얘길 하게 하는 건지.

엄마.

  설거지를 하다 말고 전화를 받았다. 낮게 깔린 목소리. 이미 저녁 시간을 지나 창밖으로 어둠이 내려앉았다. 창밖에 놓아둔 화분들이 분간이 안 되게 검은색의 한 덩어리가 되었다. 무엇이 빨간 화분이었고, 어느 것이 감색 화분이었는지 기억이 나질 않는다. 그저 모두 검은색이 되어서는. 나는 그저 저곳에 화분이 있었으니 화분이겠거니, 생각할 뿐이었다.

응, 왜?

 내 되물음에 딸애는 한참 말이 없다. 거기엔 말을 고르는
쉼도 없었고, 안절부절 입술을 달싹이는 소리도 없었다. 컴컴
한 창밖처럼. 검은색의 무언가 덩어리가 있는 듯했다. 그저
내가 딸애와 통화를 하고 있으니 딸애겠거니, 하는 것 같은.

 할 말이 있어.

 할 말. 꼭 그 애는 그 말을 한다. 꼭 앞서 그 말을 붙인다.
크나큰 파도를 모셔다가 나를 휩쓸어 버릴 것이니까 마음의
준비를 하세요, 선심을 쓰듯이.

 뭔데?

 설거지를 하다 만 손바닥이 축축하다. 어깨와 귀 사이로 핸
드폰을 눌러 잡고 행주에 손을 토닥토닥 닦아낸다.

 아니야, 엄마 그때 기억나? 나 태어났을 때 있잖아.

 딸애의 목소리가 다시 위로 우뚝 솟아올랐다. 나도 모르게

숨이 풀려 나온다. 창 너머의 화분 중 하나가 유난히 붉게 보인다. 그래, 저놈이 붉은 화분이었지, 라고 생각하면서도 확신은 하지 못 하겠다. 어찌 알겠는가, 내 눈에 뭐가 씌어 붉게 보이는지도 모른다. 이 어둠 속에서 무엇을 확신하며 얘기할 수 있을까.

 이제 와서 생각해보면 내가 배려라고 생각하며 그 애의 대답을 기다리던 것들은 어쩌면 그 애를 위한 배려가 아니라 나를 위한 배려인지도 모르겠다는 생각이 든다. 나는 알고 있었다. 딸애가 진짜로 울지 않는 아이가 된 것이 아니라, 정말로 눈물이 없는 게 아니라, 할 말이 없는 것이 아니라, 말하지 못하고 숨죽여 우는 밤이 많았다는 것을 알고 있다. 우는 딸애의 앞에 앉아 무슨 일이 있느냐 물으면 그 애는 고개를 가로저었다. 무슨 일도 없는데 이렇게 세상이 찢어진 것처럼 운다고? 이해할 수 없는 일이었다. 다만 그 애의 얼굴을 보면 이해할 수 있는 일이 된다. 엄마, 도와주세요. 얼굴 가득 빼곡하게 묻어 나오고 있었다. 도와주세요. 도와주세요. 나는 어떻게 도와주면 좋을지 알 방법이 없었다. 나는 겨우 진정된 딸을 방에 두고 안방으로 들어와 가슴을 쳤다. 제발 말을 해주란 말이다. 제발. 어려선 말을 못 했으니 그렇다 치자. 이제 뚫린 입이 있는데 왜 말을 안 해주느냐 말이야. 그러고선 그런 표정을 짓느냐 말이야. 제발 말을 해주란 말이다, 제발. 하지만 그 애에게 가서 말하지 못하는 건 나도 마찬가지였고, 시간이 더 지나니 나는 딸애의 그런 면을 어느 정도 포기하기에 이르렀다. 내가 지친 탓이다. 어느 날엔간 방에서 엉엉 우는 딸을 방안에 혼자 둔 채로 안방에서 소리를 치기도 했다. 그만 울라고.

–

 남동생은 점점 더 말수가 줄어들었고, 결국에 가족 누구와도 말을 하지 않는 지경에 이르렀다. 그리고 우는 일이 잦아졌다. 그리고 아버지에게 곧잘 혼이 나곤 했다. 사내자식이, 사내자식이, 하며 남동생이 앞에 있든 없든 아버지는 쓴소리를 쾅쾅 내려찍으셨다.

–

　엄마, 이곳은 비가 내려요. 나는 곧 죽을 거구요. 엄마, 이
곳은 비가 내려요. 나는 곧 죽을 거구요. 난 매일 일기를 써
요. 죽을 거면서.

–

 남동생은 혼자 있을 때 더 많이 울었다. 나는 물론 알고 있었다. 그 녀석이 제가 혼자라고 생각했을 때 나는 늘 그 애를 보고 있었으니까. 그 애는 시도 때도 없이 눈물을 쏟았다. 모판을 들고 오다가도 갑자기 덜렁 길바닥 위에 덩그러니 서서 눈물을 훔쳤다. 그걸로도 모자라는지 마저 들고 오는 길에 투둑, 투둑 하고 눈물을 뚝뚝 떨구며 걸어오는 것도 심심찮게 봤다. 그럴 때마다 나는 멀건 하늘로 고개를 돌렸다, 못 본 체를 하며. 하늘은 파랗고, 흰 구름이 군데군데 둥실 떠다녔다. 바람에 못 이겨 저들끼리 밀려났다가 다시 따라왔다가 해가며 산 너머로 사라졌다. 그렇게 한동안 구름 중 누가 빨리 달리나 재고 있다 보면 금방 멀쩡한 얼굴로 돌아와서 묵묵히 일만 할 뿐이었다. 그 애의 눈가가 묘하게 붓고 발갛게 닳아있는 것은 나만 아는 것 같았다. 원체 말수가 적었던 남동생이지만 이제 나뿐만 아니라 다른 사람들이랑도 말하는 수가 급격하게 줄어들었다. 엄마나 여동생들이 말을 걸어도 동생은 그저 고개만 움직일 뿐, 집안 식구들 중 누구도 남동생의 목소리를 듣기가 힘들었다.

 얼마 지나지 않아 문득 그 애를 보니 어느샌가 빼짝 말라 있었다. 그러고 보면 밥 먹는 것도 영 시원찮았던 것 같다.

깨작깨작 먹는다고 엄마한테 혼이 나기도 하고, 그 좋아하던 곳감은 입에 대지도 않았다. 우리 아들, 우리 아들, 하며 엄마가 직접 담근 식혜며, 철마다 과일이며 가져다주어도 잘 먹지 않았다. 살이 많이 찐 편은 아니었지만, 우리 집 사정에 그렇게 살이 오를 수도 없었지만, 얼굴이 둥글어 실제보다 통통해 보이던 남동생이 볼살 하나 없이 배짝 배짝 말라가고 있었다. 엄마는 때마다 곳감을 만들었지만 그 애는 더 이상 곳감을 먹지 않았다. 아버지는 혀를 끌끌 찼고, 동생들은 몰래 곳감을 훔쳐다 먹었다. 나는 더 이상 곳감이 달게 보이지 않았다.

–

 오랜만에 본 딸애의 모습은 솔직하게 말하면 내겐 충격이었다. 170cm에 살짝 못 미치는 키에 항상 튼튼해 보이는 체격을 갖고 있던 딸이 살이 쪽 빠져 있었던 것이다.

 엄마, 작년에 엄마가 사준 잠옷 바지, 내가 살쪄서 못 입는다고 했던 게 이제 헐렁하다.

 라면서 웃는 딸애 얼굴에 볼살 하나 없었다. 안 그래도 작은 편이었던 얼굴이 조막만 해졌다.

 여기까지 왜 왔어, 집도 더러운데. 잔소리하려고 왔지?

 그냥 서울에 일 있는 김에 왔지, 잔소리 안 할게.

 거짓말하지 마.

 딸애가 너스레를 떤다. 키득키득거리면서 웃는다. 또 실없는 소리를 해댄다. 지난밤엔 어느 집 갠가 자꾸 짖어대서 제대로 못 잤다는 둥, 앞에 이상하게 생긴 풀이 하나 있어서 이름이 궁금했는데 말라 죽었다는 둥. 어제 도서관에서 우연히 친구를 만났다는 둥.

 걱정돼서 왔지? 엄마.

 그러다가 문득 그렇게 묻기에 나는 또 멀건 바닥을 쳐다봤
다.

 왜 걱정이 안 되겠어, 근데 아무 일도 일어나지 않을 거야,
엄마.

 딸애의 말에 나는 한마디 답도 하지 못하고 어렸을 때 그랬
던 것처럼 손등을 꼬집었다.

–

 남동생이 26살이 되던 해, 그리고 내가 29살이던 해. 남동
생이 죽었다.

–

캄캄한 방 안. 그녀는 으레 그래 온 것처럼 또 혼잣말을 하고 있다.

엄마, 나는 정말 구제 불능인지도 모르겠어요. 하고 싶은 말은 많은데 죽는 김에 하는 말들이 무슨 소용이 있나 싶어서 아무 말도 하지 못하겠어요. 죄송하다는 말밖에 할 말이 없어요.

그리고 또 머리를 쾅쾅 내려찍는다. 긴 머리가 너풀너풀 허공을 뛰놀다 가라앉는다.

–

 남동생의 짐들을 정리할 때, 아무도 모르게 남동생의 일기를 하나 훔쳐다 내 서랍 속에 넣어 두었다. 일기장인 줄 알고 집어온 노트에는 짧은 소설이나 시 같은 것들이 잔뜩 쓰여 있었다. 그 시에는 사람이 등장하지 않았다. 정확하게 말하면, 사람을 묘사하는 대목 없이 사람들을 보고 있었다. 바람에 펄럭거리는 나뭇잎, 발밑으로 굴러다니는 돌멩이들이 사람을 대신하고 있었다. 남동생은 그런 것들을 보고 있었다. 내가 그런 것들을 보고 있었던 것처럼. 처마 끝으로 떨어지는 빗방울을 보며 그 앤 바닥으로 스미는 그 빗방울을 아쉬워하며 울었고, 내 손에 짓이겨지던 풀잎을 보며 내 손끝에 물든 색을 보고 마음 아파했다. 나는 그저 지나가는 어떤 것들로 보던 것들에도 그 애는 하나하나 마음을 써주었다. 아프겠구나, 안타까워라, 하며. 그러다 병이 들었는지도 모르겠다. 아프겠구나, 하던 것이 이윽고 자기 마음을 파먹어서. 그 애는 내가 속상했겠구나, 하다 제 속을 파먹었는지도 모른다. 노트 속의 그는 제 손에 쥔 곶감을 좋아하지 않았다. 진덕진덕한 것이 기분이 나쁘다고, 나는 다른 긴 문장들보다 짧디짧은 그 문장을 보고 울었다.

–

 하나, 하나. 이런저런 방법들을 하나, 하나 생각해보고 있는데 어떤 것도 다른 사람한테 피해를 안 주는 방법이 없어요. 죽을 때까지도 나는 이런 걸 고민하고, 죽을 때까지도 나는 이런 것들에 매달려 있어요. 그렇지만 죽을 때까지도 나는 다른 사람들에게 피해를 주고 싶지 않아요, 엄마. 엄마, 나의 마지막은 결국 다른 사람의 불행이 될 거예요. 난 그게 무서워요.

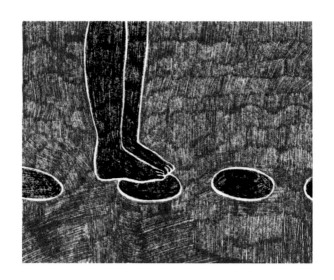

–

비는 다시 또 쏟아져 내린다. 건조대 곁으로 다가가 손바닥으로 빨래를 꾹꾹 만져본다. 그 해에도 이렇게 비가 자꾸만 왔었다. 우리 집 개가 죽었던 해에. 남동생이 죽었던 해에. 내가 몰래 훔쳐다 놓은 노트를 자꾸만 펼쳐볼 적에.

–

 나를 닮은 예쁜 딸을 낳으면 한껏 예뻐해 줘야지, 생각했던 것보다 삶은 고달프고 바빠 날뛰었다. 원체 살갑지 못한 성격 탓에 아이들에게도 그렇게 해주지 못한 것이다. 덕분에 딸애들도 내 무뚝뚝한 성격을 그대로 닮아 자라서 온 가족이 무뚝뚝하다. 장난도 많이 치고 화목하지만, 애정표현 같은 데엔 영 어색한 식구들이다. 온 마음 다해 아이들을 사랑하면서도 사랑한다는 말을 해본 적이나 있던가 싶을 정도다. 반대로 아이들에게 사랑한다는 말을 들은 것 역시 오래됐다. 막내아들이 막내답게 그래도 애교가 많아 아직까지도 사랑해, 하며 입을 맞추려 달려 들지만 딸애들은 유치원을 졸업하면서부터는 그 말이 마치 금기된 말인 듯했다.

 나는 딸애의 손도 잘 잡아주지 않았다. 이제 와 많은 것들이 미안해지고, 후회가 된다. 이유는 특별한 건 아니었다. 그냥 내가 싫다는 이유였다. 워낙에 다른 사람과 살결이 맞닿는 걸 싫어했다. 그게 내 딸에게까지 갈 이유가 될 줄은 꿈에도 생각 못 했지만. 딸애가 혼자 걸음을 걷고 혼자서 나를 잘 따라올 수 있는 나이가 되어서부터는, 둘째가 태어나고 둘째 역시 혼자 걷고 제 언니의 손을 잡고 나를 따라올 정도가 되어서부터는 나는 그 애들의 손을 잡아주지 않았다. 그래서 딸애가 내 손을 잡는 방법을 잊어버린 건 아닐까. 겨우 그런 이유로, 서로 손 잡는 법을 잊었다는 이유로 또 원 밖으로 누군가 떨어지게 된다면.

—

 나는 그 노트를 아끼는 소설책을 여러 번 반복해서 읽어보 듯이 읽고, 읽고, 또 읽었다. 남동생이 말을 할 적에 빠르지 못하면서 잘 골라진 말들을 했던 것처럼 그의 일기들도 대체로 그랬다. 한 글자 한 글자 느리고 정성 들여 쓴 듯한 글씨체에, 한마디마다 긴 호흡이 있었을 것이 느껴졌다. 고민하고 고민한 짧은 글들. 나는 그 일기장을 볼 때면 항상 놀고 있는 한 손으로 제 손바닥이나 손등, 마땅치 않으면 팔뚝에 상처가 날 만큼 꼬집고 긁었다. 그렇게 하지 않으면 그 글들을 읽기가 힘들었다. 짧은 한마디에도 죽은 동생의 마음이 그렁 그렁 매달려서 내 책상 아래 바닥으로 툭툭 떨어졌다. 한자리에 앉아 일기장을 처음부터 끝까지 다 읽은 날엔 바닥 아래로 동생의 마음이 가득가득 떨어져 있었고, 나는 그 위에 주저앉아 바닥을 마구 내려쳤다. 바닥 한가득 곶감이 으깨져 찐덕찐덕 내 손을 따라 올라왔다.

 왜 그랬어. 왜. 그르게 내가 니 손목을 잡았을 때, 왜 말하 지 않았어. 왜. 왜. 살아만 있다면 머리를 쥐어박고 이놈 자 식아, 혼쭐을 내주고, 등짝을 마구 갈겨주고 싶었다. 가슴팍 을 있는 대로 두들겨 패면서 귀에서 피가 나도록 욕을 해주 고 싶었다. 하지만 그럴 수가 없어 아무것도 없는 바닥을, 손

날에 멍이 들도록 내려쳤고, 동생이 내게 아무런 대답도 해 주지 않았던 것처럼 책상 위의 노트는 아무런 미동도 없이 죽은 동생의 마음만 똑, 똑, 아래로 흘릴 뿐이었다.

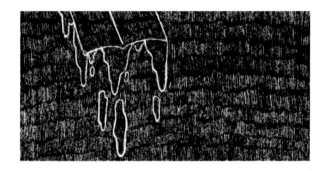

–

　남편과 함께 딸들을 보러 올라왔다. 남편에겐 단단히 일러두었다. 헛소리할 거면 차라리 말을 하지 말고, 조심해서 말하라고. 그만큼 나는 불안했고 영문을 모르는 남편은 어리둥절한 표정만 지을 뿐이었다. 남편이 운전을 하는 내내 차 주변을 뱅뱅 도는 죽은 개를 보았다.

　뭐하러 왔어, 금방 또 운전해서 가야 하는데. 피곤하게.

　딸애들과 함께 저녁을 먹고 다시 헤어지는 참이었다. 저녁을 먹는 시간은 별다를 것 없었다. 첫째와 둘째가 티격태격하며 밥 먹는 것을 흐뭇하게 보면서 밥을 먹었다. 저래 보여도 꽤 우애가 좋아서 정작 잘 싸우지도 않고 잘 지낸다. 첫째가 주로 말을 하고 농담도 해가며 밥 먹는 시간 동안 우리는 다들 웃었다. 첫째가 밥을 먹는 걸 유심히 보고 있었다.

　그래서 윤희 아줌마한테 그러겠다고 했다고?

　응, 빽빽대면서 시끄럽게 하니까.

　윤희와 나눴던 대화를 전하고 있을 때였다. 남편은 귀를 열어둔 채 밥을 먹고 있었고, 둘째는 틈틈이 대화에 끼어들고 있었다. 내가 잠깐 둘째의 말에 귀를 기울일 때 큰애가 밥을 한입 물곤 입을 다물었다. 그리곤 그 애한테서 난생처음 보는 얼굴을 보았다. 그냥 넋이 나간 얼굴 같기도, 반대로 엄청난 것들이 들어가 있는 것 같기도 한 얼굴이었다. 툭 건드리면 그 애 입에서 방금 물었던 밥이 아니라 흙탕물 같은 게 쏟아져 나올 것만 같았고, 그 애 몸 구석구석에서 아까는 느끼지 못했던 기운이 느껴졌다. 생각해보면 예전에도 이랬던 적이 있었다. 걸어온 발자국 한 칸 한 칸마다 고단함을 묻히며 내게 걸어 들어왔던, 지친 기색이 완연했던 그 어느 날들. 이제야 딸애 얼굴에 덕지덕지 붙어 있는 알 수 없는 것들이 보이기 시작했다. 그건 알 수 없으면서도 내가 아주 잘 알고 있는 것이었다.

–

  집안은 쑥대밭이었다. 남동생의 죽음을 우리는 원망했다. 우린 어디 가서 함부로 말조차 꺼내지 못했다. 사람들은 쑥덕거렸다, 그는 죄인이었고 우리는 피해자인 동시에 죄인의 가족이었다. 창피하고 부끄러운 일이었다. 동생의 죽음에 제대로 마음을 보여주는 이가 없었다. 그러나 슬픔은 있었기에 우린 마음 아파했고 그 아픔을 어찌할 줄 모르다 죽은 동생에게로 화살이 돌아간 것일 테다. 나 역시 맞을 이가 없는 화살을 잡고서, 동생의 일기장을 읽고 또 읽으면서 동생을 원망했다. 떨어지는 비가 스미는 것을 보며 사라짐에 울었던 동생이라면 그에겐 아플 일이 얼마나 더 많았을까 짐작조차 되지 않았다. 그는 곶감을 실은 내게 주고 싶었다. 자긴 곶감을 별로 좋아하지 않는다고 쓰여있었다. 우리 누나가 곶감을 좋아하노라고, 그런데 아무도 그걸 모르는 것 같아 자기가 줘야겠다고 쓰여 있었다. 나는 그걸 왜 얘기해주지 않았느냐고 여전히 맞을 일이, 앞으로도 맞을 일이 없을 동생에게 화살을 쏘아대며 울었다. 내가 그리 울고 있으면 죽은 개가 어김없이 내 주위를 빙빙 돌았고, 또 내가 그리 울고 있으면 엄마나 아빠가 나타나 화를 마구 내었다. 엄마, 아버지의 화살이 내게로 향한 것이다. 아무렴 맞을 이가 없는 화살을 쏴대는 것보다는 맞는 이가 있는 쪽이 좀 더 그 아픈 마음을 풀어줄지도 모른다. 나는 맞는 이가 없는 화살을 쏘고 또 쏘며 울다 문득 그 애 얼굴이 떠올랐다. 배짝 말라서, 모판을 들곤 눈물을 슥 닦던 얼굴. 밤이 되면 벽 너머로 들리던 숨 죽인 울음소리. 화난 얼굴로 날 내려보던 눈동자. 그리고 초침이 다시 반대로 뱅글뱅글 돌아서 옆집 담벼락 뒤에 서서 발로 돌멩이를 굴리다 나를 낚아내었던 작은 손과 내 손에 풀잎 하나를 얹어주던 그 날의 선선한 바람이 불었다. 다시 눈을 뜨면 동생은 아주 어린 시절로 돌아가 내 주위를 누나, 누나, 하며 쫓아다녔다. 아가야, 동생아, 애야, 나는 날리던 화살 중 하나를 낚아채어 내 가슴에다 내리 꽂아버린다. 아아. 나의 동생, 너는 잘못한 게 없었다. 그는 얘기해주고 있었다. 이 얇은 노트 한 권을 우리에게 보여주지 않았어도 그 배짝 마른 몸으로, 화난 얼굴과 그 눈동자로 나에게, 우리들에게.

–

  남동생의 노트에서 그렁그렁 떨어져 내려오던 그의 마음들과 닮아 있었다. 꼭 그런 것들을 닮은 게 딸애의 얼굴에 덕지덕지 붙어 있었다. 밥이 잘 넘어가질 않았다. 새삼 살 빠진 딸애의 얼굴이 더 핼쑥해 보였다. 그리고 생각하지 않으려 했던 것들이 자연스레 떠오른다. 그 애도 그랬었다. 그즈음해서 몰라보게 살이 빠졌었다. 급하게 속이 미슥거리고 머리가 아파졌다. 딸애가 갸우뚱하더니 나를 빤히 쳐다본다.

  엄마, 왜 그래?

  아니야, 갑자기 머리가 아파서.

  그래? 그래서 왜 왔어, 여기까지. 윤희 아줌마 얘기해주려고?

  아니야, 그냥. 오랜만에 식구들이랑 밥 먹으려고 온 거지.

  딸애가 한 번 더 갸우뚱하더니 내 앞에 두통약을 한 알 내밀어 놓곤 밥을 한 술 떠먹는다.

–

    밥을 다 먹고 다시 작별 인사를 한다. 딸들은 별말 없이 '잘 가'하고 손을 흔드는 게 다였다. 아쉬움도 없고, 그렇다고 좋아하는 건 또 아닌 것 같은데 싫어하는 것 같지도 않다. 다만 나오지 말아라, 하는데도 둘 다 집에서 한참 떨어져 대어둔 애 아빠 차 앞까지 따라 나왔다. 우리도 인사를 한다. 밥 잘 챙겨 먹고, 항상 조심하고, 애 아빠가 먼저 운전석 문을 열고 들어가 앉았다. 조수석 문손잡이에 손을 올리다 문득 내 손이 보였다. 나는 문을 열다 말고 애들에게 다가가서 한 손에 한 손씩 애들 손을 잡았다. 애들은 아주 찰나의 순간 당황한 기색을 보이더니 얌전히 손을 맡기고 멀뚱댄다. 첫째가 먼저 입을 뗐다.

    뭐야?

    그냥. 힘내자고.

    첫째가 얼굴에 웃음을 띄운다. 툭, 툭, 딸애의 웃음기가 얼굴에서 하나둘 떨어져 딸애의 어깨를 적신다. 잡았던 손을 놓고 차에 탔다. 떠나는 차의 뒤꽁무니를 보며 가만히 서서 팔을 흔들고 있는 아이들을 보면서 불안한 마음이 다시 차올랐다.

—

그 후로, 큰애한테서 걸려오는 전화가 다시 늘었다. 나는 그 애가 전화를 해서 무슨 이야기를 하는지보다는 매일같이 오는 전화에 그 애에게 아직, 아무 일도 일어나지 않았다는 것에 안도하고 있었다.

엄마, 나 애기 때 다쳐서 병원에 입원했던 거 기억나지? 그때 어쩌다 그랬더라?

요즘 주된 이야깃거리는 옛날이야기가 많다. 딸애가 먼저 물어오는 경우가 대부분이고, 나도 이것저것 회상하며 대답해 주곤 한다. 그 애가 물어오는 옛날이야기는 생각보다 깊이 파고들고, 가끔은 나의 옛날이야기까지 요구하곤 한다.

엄마.

왜.

삼촌 노트. 아직 갖고 있어?

창밖으로 굵은 빗줄기가 쏟아져 내린다. 요즘 날씨는 아무래도 종잡을 수가 없고, 이상하리만큼 비가 자꾸만 내린다. 이러다 물에 잠겨버리는 건 아닐까, 창 너머로 빗줄기를 멍하니 바라봤다. 수화기 너머에선 딸애의 재촉하는 목소리가 넘어온다.

엄마, 듣고 있어?

엄마, 듣고 있냐구. 나 그거 읽어보고 싶어. 다음 주에 가지러 갈게.

–

 그 후로, 나는 남동생의 노트를 더 열어보지 못했다. 그 노트를 열어보는 건 이제 더 이상 남동생의 아팠던 마음을 들여다보는 것도 되지 못하고, 혹은 남동생을 원망할 빌미가 되어주는 것도 아니었다. 이제 나는 그 노트에서 멍울져 떨어지던 것들에 휩싸여 울면서 내 머리를 쥐어박고 내 가슴에 화살을 덕지덕지 꽂아놓았다. 그건 자책감이었다. 누나가 되어서, 누나씩이나 되어서도 나는 몰라줬다. 동생이 그 반듯한 손가락으로 이렇게 마음 아픈 글씨를 쓸 수 있는 사람이란 걸 난 몰랐고, 이 일기장에서 떨어지고 있는 마음들이 동생의 속에 있다는 걸 난 몰랐다. 나는 몰랐다. 동생이 그렇게 죽으리란 걸, 난 몰라줬다. 내가 막지 못했다. 그래서 노트를 더 이상 펼치지 못했다. 펼칠 때마다 나는 이제 동생이 죽었다는 것보다 내가 동생을 막지 못했다는 자책감에 더 힘들어했다.

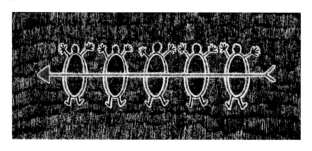

-

머지않았어요. 나는 계속 돌고 있어. 같은 자리를. 벗어난 줄 알았는데 다시 돌아오고, 또다시 돌아왔어. 어차피 이렇게 다시 돌아오고 돌아올 것이라면 이제 정말 끝을 내는 게 맞다는 생각이 들어요.

  여자는 낡은 노트를 덮고 한참을 멍하게 벽을 쳐다보고 있다.

–

　엄마. 삼촌, 글을 굉장히 잘 쓰셨었네.

　응. 책 읽는 걸 좋아했어. 엄마도 책 읽는 거 좋아했으니까, 둘이 같이 책 읽고 많이 그랬지.

　딸애가 정말로 동생의 노트를 가지고 간 뒤로 딸애는 종종 제 삼촌 얘기를 했다. 본 기억도 나지 않을 제 삼촌을 마치 최근까지 봤던 사람 얘기하듯이 친근하고 정감 있게 부르면서.

　엄마.

　응.

　엄마, 어떻게 이걸 가지고 있었어? 마음 아파서.

　죽은 개가 제자리를 돌다 멈춰 서선 멀뚱히 나를 쳐다본다. 다시 그 몸통이 통통해지고, 생기가 도는 눈으로 나를 반가워하며 헥헥댄다.

가지고 있고 싶었어. 남겨둔 게 많지 않았거든.

대단하다, 엄마. 대단해. 엄마도 마음고생 많았겠네. 근데 이제 그러지 마.

그러곤 다시 또 옛날이야기들을 물어온다. 했던 얘기를 또 묻고 또 묻는다.

엄마, 나 태어났을 때 말이야.

다시 또 생각하기를, 나한테 뭔가 듣고 싶은 얘기가 있는 걸까, 생각했다.

했던 얘기를 왜 자꾸 물어?

그냥 자꾸 까먹어서 그래. 그래서 어쨌다고 했더라, 나 태몽이 뭐라고 그랬지?

나는 다시 또 배려를 한다. 말하고 싶을 때 말하겠지. 기다려주면 제가 준비되었을 때 이야기해주겠지. 어쩌면 이게 그 애가 정작 하고 싶은 말을 하기 위해 준비하는 방식인지도 모른다. 했던 얘기를 또 해주고 또 해준다. 딸은 처음 듣는 애기인 것처럼 꺄르르 웃으며 내 한마디 한마디에 반응했다.

–

그 애가 말했다.

엄마, 걱정하지 말라니까. 내가 뭘 한다고 그래.

근래 들어 자주 그 애는 전화를 해와선 옛날이야기들을 계속해서 내게 물어왔다. 나도 회상에 잠겨 이야기를 해주다가도 불현듯 불안이 솟구쳤다. 그럼 그 애가 다 꿰뚫어 보듯 이렇게 말했다.

하긴 뭘 해. 애가 무슨 소리하는 거야.

무슨 소릴하긴. 엄마 무슨 생각하는지 뻔히 보여서 그래.

내가 무슨 생각을 하고 있는데?

그리고 딸애는 한참 동안 아무 말이 없었다.

아, 아무튼 걱정하지 마. 괜한 걱정이야. 괜히 쓸데없는 걱정 하느라 잠 못 자고 그러지 마시고 속 편히 주무셔.

그리고 딸애는 알았지? 하더니 내가 어떤 말을 하기도 전에 전화를 툭 끊어버렸다. 오랜만에 하늘이 맑게 갰다. 빨래도 보송하게 말랐다. 나는 마른빨래를 한 데 끌어 모아두고 바닥에 앉아 티셔츠는 티셔츠끼리, 바지는 바지끼리, 셔츠는 다림질을 하기 위해 따로 빼두고, 양말이나 속옷은 또 따로따로 정리해가며 옷들을 접었다. 보송한 천 위로 손가락이 닿는 느낌이 좋았다. 옷에서 섬유유연제 냄새가 풀풀 풍겨 나오고 있었고, 그 향기 사이사이마다 창밖에서 들어오는 햇살이 스며 있는 것 같았다. 하지만 여전히 그 어디에도 딸애의 옷은 없었다.

–

그게 마지막 통화라는 걸 진작에 알았더라면 나는 다시 전화를 걸었을 것이다. 오늘은 도서관에 다녀왔니? 가서 무얼 했니? 밥은 먹었는지, 먹었다면 무슨 반찬을 먹었는지도 세세하게 물어봤을 것이다. 오늘은 왜 옛날이야기를 묻지 않았는지 되물어보았을 것이다. 아무것도 아닌 이야기들을 하나하나 놓치지 않고 귓구멍에, 마음에 새겼을 것이다. 그리곤 내가 빼놓고 하지 않았던 얘기가 있다면 빠짐없이 모두 해줄 것이다. 아이가 태어나서부터 지금까지의 모든 이야기를 밤이 새도록 해주었을 것이다. 내가 너를 얼마나 사랑했고, 얼마나 사랑하는지. 나의 첫 번째 아이로 태어난 네가 네 엄마의 수많은 첫 번째 실수를 겪으며 얼마나 잘 성장해주었는지. 그게 얼마나 대견하고 자랑스러운지. 널 처음 봤던 날 어색해 마지않았던 나지만 그 속으로 얼마나 벅찬 마음을 가지고 있었는지 말해주었을 것이다. 너를 앞에 앉혀두고, 오래된 사진을 전부 펼쳐놓고 오래도록 너의 어린 시절을 함께 나누었을 것이며, 그 사진들이 사랑하는 너를 오래도록 담고 싶었던 나의 마음이라고 이야기해주었을 것이다. 그렇게 해서 그 통화가 마지막이 아니게 될 수만 있었더라면. 목이 쉬도록, 밤이 새도록 하루가 지나고 또 하루가 지나서 너의 마음이 동하던 그 시간에 내 목소리를 듣고 있었다면 네가 생각을 바

꿀 수 있었을지도 모른다.

 그게, 마지막 통화라고 결정짓고 내게 건 전화였다는 걸 알
았더라면, 나는 얼마 전 네가 내게 할 말이 있다 했던 것을
기억해내고 끈질기게 되물어봤을 것이다. 할 말이 있다던 거
뭐였어? 나를 위했던 길고 긴 배려를 거둘 것이다. 그게 네
마음을 아프게 하는 일이라고 하여도, 당장에 너를 힘들게
하는 일이라고 하여도. 너를 끝까지 붙들고 무슨 할 말인데?
기다려 줄 테니까 천천히 말해 보라고. 손에 걸려있던 빨랫
감을 천천히 내려두고 네가 하는 말 한마디 한마디에 귀를
기울였을 것이다. 그게 내 마음을 찢어지게 하는 소리였다고
한대도 제발 말해달라고 사정을 했을 것이다. 그게 조금이라
도 네 마음의 짐을 덜어줄 수 있는 얘기였다면.

 아니, 후회를 할 것이라면 나는 더 오래된 것들을 모두 후
회해야 할 것이다. 너와 보낸 많은 시간들과 그 속의 나와
너. 내가 너에게 했던 이야기 하나, 그 속의 단어 하나, 그리
고 찰나의 표정과 손짓들. 20여 년의 시간이 쌓이는 동안 내
가 놓친 너의 시간들, 너의 이야기, 너의 말 한마디, 너의 표
정, 너의 손짓, 그리고 너의 마음들.

 네가 건 마지막 통화인 줄 알았다면, 그게 마지막 통화라는

걸 알았다면, 네 손으로 내 번호를 꾹꾹 눌러 걸었던 마지막
전화인 줄 알았다면. 숱한 후회가 모두 소용이 없다는 걸 알
면서도. 나는 자꾸만 넋을 놓고 앉아 그게 마지막 통화가 될
줄 알았다면, 그랬다면, 끝도 없이 되뇌고 죽은 개 한 마리가
내 주변을 뱅글뱅글 다시 돌기 시작한다.

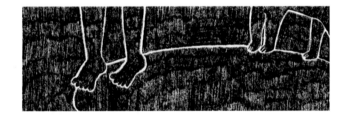

–

  비가 내린다. 그 애는 마지막까지 비가 내리는 날을 골랐다. 어쩌면 비가 그 애를 고른 것인지도 모르겠다. 이제 누구를 원망하고 누구를 사랑해야 하는지 모르겠다. 하늘은 거멓고, 비가 주룩주룩 끝을 모르고 내리고 있다. 건조대에 널어둔 빨래들이 마를 생각을 않는다.

**번외)**

　엄마, 나예요. 큰딸이라고 할까요, 민주라고 할까요? 엄마
가 듣기 좋으신 대로 들으셔요. 음, 갑자기 이렇게 존댓말을
쓰니 엄마가 저를 조금 어색해할지도 모르겠어요. 그렇지만,
저 엄마를 미워할 때도, 서운해할 때도 많았고, 말을 안 들을
때도, 말썽을 부릴 때도 많았지만 그래도 엄마의 의젓한 큰
딸이고 싶었으니까, 든든한 딸이고 싶었으니까, 마지막은 존
댓말로 인사드리는 게 맞다고 생각돼요.

　무슨 말부터 해야 할지 사실 잘 모르겠어서, 조금 횡설수설
할 것 같아요. 엄마에겐 하고픈 말이 참 많은데, 어쩌면 그래
서 더 무슨 말부터 해야 할지 모르겠는지도 모르겠습니다.
사람들에게 인사를 남기자, 생각하고 처음으로 쓰는 편지가
이 글이에요. 아마, 이 편지는 몇 번이고 몇 번이고 계속해서
수정하게 될 것 같아요. 직접 손으로 꾹꾹 눌러써서, 좀 더
마음을 담아, 좀 더 진심 어린 글을 전해드린다면 좋겠지만
그건 너무 힘이 들 것 같아요. 미안해요. 엄마에게 쓰는 편지
는 참 오랜만이네요. 언젠가 엄마 생신 때, 아마 제 기억으로
는 성인이 된 후였던 것 같은데, 그때 편지를 썼던 이후로
처음인 것 같아요. 지금은 그때 무슨 이야기를 썼었는지도
잘 기억이 나질 않네요. 엄마는 무슨 편지를 이야기하고 있

는지 기억이나 하실까요? 엄마, 마지막이니만큼 하고 싶었던 얘기를 다 하고 싶어서, 물론 대답을 듣지는 못하겠지만, 그래서 이런저런 얘기 그냥 다 하려고 해요. 그래서 이 편지가 엄마를 엄청 힘들게 만들어버릴지도 모르겠어요. 읽다가 읽다가, 참다가 참다가 너무 힘드시면 그냥 찢어버리세요, 엄마. 어차피 그래도 저는 엄마가 이 편지를 찢었는지 태웠는지 어쨌는지 알 리가 만무하니까. 힘들고 마음 아파도 끝까지 다 읽어달라고 하는 건 너무 이기적이니까 바라지 않을게요. 딸은 이렇게 힘들다 힘들다 하다 포기해버린 주제에 엄마까지 힘들게 하고 싶지 않아요. 그러니까 읽다 읽다 조금이라도 마음이 미어지는 것 같으면 그냥 버려버리세요. 부탁이에요. 저는 괜찮으니까요.

 가장 첫 번째로 무슨 이야기를 하는 게 좋을까, 아주 오래 고민해 보았는데, 역시 가장 처음으로 하게 될 말은 죄송해요, 인 것 같아요. 죄송해요. 정말, 정말로. 정말로 죄송해요. 엄마의 큰 딸이 이리 못나서 죄송하다고 이야기하고 싶지만 그건 그거대로 엄마를 속상하게 만들 것 같으니 이 정도로만 적을게요. 어쩌면 엄마는 늘 저를 불안해했을지도 모르겠다는 생각이 들어요. 어렸을 때엔 엄마가 아무것도 모른다고만 생각했었는데, 어찌 아무것도 모를 수가 있을까요? 어머니시니까. 저의 엄마니까. 우리 엄마니까. 제가 어렸을 때부터 느껴

온 이 불안함은, 어쩌면 엄마는 내가 그걸 인지하기 훨씬 이전부터 알고 계셨고, 또 걱정스러워했을 거라는 생각이 들어요. 엄마, 저는 참 겁쟁이였어요, 그쵸? 지금은 많이 좋아지긴 했지만, 어렸을 땐 낯도 참 많이 가리고 무서울 것도 많았잖아요. 그래, 무서운 게 많은 건 지금도 마찬가지긴 하네요. 아직도 기억이 나요, 처음 유치원에 다니기 시작했을 때, 거기 있잖아요, 목화영재원에 처음 다니기 시작했었을 때요. 그때 친구들 사귀는 것도 굉장히 힘들어했었어요. 먼저 나에게 말 걸어주는 친구들이 정말 반가웠지만 그렇다고 또 반가운 티를 잔뜩 낼 수 있는 성격도 못 되었죠. 붙임성이 좋거나, 친화력이 좋거나 하지 못해서 먼저 친구에게 다가가는 것도 무서워했고요. 어느 날, 유치원 위층에 있던 식당으로 심부름을 가게 되었었는데, 계단을 오르다 말고 주저앉아서 울었던 게 기억나요. 그날 특별한 무슨 일이 있었던 것도 아니었고, 어려운 심부름을 하러 간 것도 아니었는데, 그냥 울고 싶었어요. 그냥 무서웠어요. 그냥 엄마가 보고 싶었어요. 생각해보니 저는 그때도 혼자 숨어서 울었더라구요. 잠시 동안 계단 위에 쭈그리고 앉아서 훌쩍훌쩍 울다가 심부름이 생각나 일어나서 눈물을 슥슥 닦고 마저 계단을 올랐어요. 그리고 아무렇지 않게 다시 교실로 돌아갔었구요. 제가 기억하는 첫 번째예요, 혼자 숨어서 울기 시작한. 그리고 아무렇지 않은 척했던. 어쩌면 이유를 모르겠어서 그랬었는지도 모르겠어요, 내가 왜 우는지, 뭐가 무서운지, 뭐가 아픈지 모르니까. 누군가의 앞에서 운다면 분명 왜 우느냐 물어올 테니까 그럼 해줄 수 있는 말이 없잖아요. 왜 우는지 모르니까요. 뭐가 그리 무서웠을까요. 그날 왜 그리 마음이 시리고 아팠을까요, 그 계단이 문제였을까요, 심부름이 문제였을까요? 아무 문제 없었던 것 같아요, 엄마, 그냥, 그냥 제가 그런 아이였던 것 같아요. 이유 없이 울 수 있는, 이유 없이 아플 수 있는, 그치만 다른 사람에게 기대지 못하는. 저는 이미 그때부터 이런 사람이었나 봐요. 그래도 잘 지냈던 것 같아요. 시간이 지나니 친구들도 조금씩 사귈 수 있었고, 유치원 다니는 것도 적응할 수 있었어요. 초등학교에 들어가서도 그렇고. 저는 늘 내가 모자라고 부족하고, 바보 같고, 단점 투성이라고 생각해 왔는데 이제 와 생각해보니 제 주변에는 늘 친구들이 먼저 다가와 주곤 했었더라구요. 처음 그걸 느꼈을 땐 참 의아했거든요. 나는 아무것도 아닌데, 아무것도 없는데 왜 사람들이 먼저 내게 다가와 줄까, 왜 그렇게 먼저 다가와서는 내 곁에 머물러 줄까, 알 수 없는 일이네 정말, 이렇게 생각했었는데. 그게 부담스럽기도 했거든요. 더 가까이 다가오면 내가 아무것도 없고, 아무것도 아닌 사람이라는 게 탄로 날까 봐 노심초사했었거든요. 근데 지금 생각해보면 제 생각보다 저는 괜찮은 사람이었나 봐요. 생각만큼 단점만 가지고 있는 사람은 아니었나 봐요. 아, 어쩌면 단점을 가리려고 이런저런 노력을 했는지도 모르겠어요. 엄마는 어떻게 생각하세요? 예전 같으면 엄마는 동의해주지 않을 거라고 생각했을 텐데, 지금은 엄마도 저랑 같은 생각을 하실 거라고 믿어요. 저를 좋은 사람이라고 생각해주실 거라고. 사실 저는 아직도 확신이 없지만요, 엄마는 확신에 차서 이야기해주실 것 같아요. 이제는요.

한창 상담을 막 시작하고, 처음에는 아무 얘기도 못 했었어요. 너무 갑작스럽게 시작한 상담이었고, 무슨 이야기를 해야 할지 모르겠고, 사실 누군가한테 제 얘기를 털어놔 본 적이 없어서 어색하고 무서웠어요. 역시나 무서워했네요. 겁쟁이. 학교에서 만났던 상담 선생님, 정말 좋은 분이셨어요. 덕분에 졸업까지 무사히 할 수 있었다고 생각해요. 이야기하기를 무서워하는 저를, 제가 마음 편히 이야기할 때까지 늘 기다려주셨어요. 늘 제 편이 되어 이야기를 들어주시고, 인정해주시고, 공감해주셨어요. 때로는 저 대신 우신 적이 있어서 제가 당혹스러웠을 때도 있었지만요, 정말 좋은 분이셨어요. 그래서 시간이 지나니 조금씩 이야기하게 되더라고요. 일상을 나누는 게 아니라 감정을, 기억을 나누는 게 시작된 건 상담을 시작하고도 4~5개월 후부터였던 것 같아요. 꽤 오래 걸렸네요. 그리고 한참 동안, 꽤 오랫동안, 그리고 아주 많이 엄마를 미워했었어요. 다 엄마 때문인 것만 같았고, 모든 걸 엄마

탓하고 싶었어요. 상담이 계속 진행되고 아주 오래전의 기억들이 떠오르면서 그때 엄마가 그러지 않았다면, 그때 엄마가 이렇게 해줬더라면, 지금의 내가 이렇지 않을 텐데, 라고 생각했어요. 생각이라는 게 한 번 하기 시작하면 꼬리에 꼬리를 물고 계속 되잖아요. 그래서 꽤나 오래 엄마를 미워했어요. 엄마, 기억하고 있을지 모르겠어요. 초등학교 때 엄마한테 편지를 썼던 일이 있었는데, 기억하세요? 그때 한참 책읽는 걸 좋아했어서, 늦게까지 책을 읽고 있었는데 엄마가 방에 들어와서 이 책 읽어보라고 책을 한 권 주고 가셨어요. 책 제목이나 이런 건 잘 기억나지 않지만, 얼추 기억하기로는 가족끼리 주고받은 편지를 엮은 내용이었던 것 같아요. 서로 힘이 되어주는, 따뜻하고 포근한 내용의 책이었다고 기억해요. 사실 저 그때부터 이미 늦은 밤까지 혼자 울다 자는 날도 많았고, 그즈음해서 학교 옥상으로 올라가는 계단 위에서 옥상 문이 잠겨있는 걸 보고 절망하며 난간에 기대어 울기도 했었고, 내 삶을 버겁다고 느끼곤 했어서 그 책을 엄청 인상 깊게 읽었어요. 우리 가족은 대체로 애정표현이나 감정표현 같은 것에 약했으니까. 가족끼리 그런 말을 주고받는다는 것도 되게 신기했던 것 같아요. 응원해주고, 위로해주고, 지지해주고, 그런 것들이요. 그리고 생각했죠. 우리 엄마가 나를 위로해주는 거라고. 엄마가 그때부터 제가 이미 그런 생각을 지니고 있었다는 것을 알고 계셨던 건지 확신할 수는 없지만, 어쩌면 그럴 수도 있었겠다는 생각을 해요. 어찌 되었든, 그래서 저도 편지를 쓰고 싶어진 거예요. 엄마에게 위로받고 싶었어요. 아뇨, 사실은 도움을 요청하고 싶었어요. 어린 이 소녀의 손을 잡아주십사 이제 학교 옥상에 올라가는 계단 위에서 우는 일을 막아주십사, 나에게 이 삶의 의미를 알려주십사 하고. 도와주세요, 저는 죽는 게 무서운데, 자꾸만 죽고 싶어요, 엄마는 방법을 알고 있겠죠? 엄마니까. 그러니 도와주세요, 저를 막아주세요, 라고 이야기하고 싶었어요. 편지를 쓰면서 손이 자꾸만 덜덜 떨렸어요. 이상하게도 지금은 전혀 손을 떨지 않고 있지만요. 그리고 아침에 학교에 가면서 엄마의 가방에 몰래 넣어놓고 등교를 했어요. 늘 들고 다니는 가방이니까, 여기라면 볼 수 있겠지. 어린아이의 생각에 그런 생각을 하며 산다는 것은 꽤 이상하고 알 수 없는 일이었으니까, 그런 생각이 무섭고 싫었으니까, 엄마에게 직접 전해드릴 용기가 없었거든요. 마치 잘못을 저지르고 있는 것 같아서 편지를 가방 속에 넣는 작은 손이 덜덜 떨렸어요. 하교하고 돌아왔을 때, 저는 편지에 대해 잊고 있었어요. 집에는 작은 이모도 와 있었어요. 그리고 이모랑 엄마가 그랬죠. 편지에 대해 이야기하며, 엄마를 협박하는 거냐, 집을 나가고 싶다니 방을 구해줄 테니 나가 살겠느냐, 그런 이야기였어요. 기억하세요? 어쩌면 엄마가 말씀하신 의도랑 다르게 제가 알아들었을지도 몰라요. 그래서 엄마가 이 일을 억울해

하실지도 모르고요. 그렇지만 조금 자기방어를 해보자면 저 어린애였고, 제가 멋대로 오해를 했을 수도 있지만, 때로 말하는 의도와 다르게 말하는 투가 그렇게 나올 때도 있구요, 분명히 기억하는 건 작은 이모가 매우 비아냥거리고, 웃으면서 이야기하는 분위기였다는 거예요. 세상이 무너지는 것 같더군요. 누군가에게 길고 큰 칼로 가슴팍을 찔린다면 이런 기분일까, 길을 가다 커다란 트럭에 치인다면 이런 기분일까, 갑자기 이 5층짜리 낡은 아파트가 무너져 나를 깔아뭉갠다면 이런 기분일까 하고 생각했어요. 그때 엄마가 조금 더 따뜻하게 이야기해줬으면 좋았겠다, 그때 조금 더 신경 써주었으면 좋았겠다, 이런 생각 하시겠지만 그런 건 의미가 없다는 거 아시죠? 아니, 아니, 엄마를 탓하려는 게 아니에요. 이미 지난 일로 후회해도 소용없다는 거 아시잖아요. 제가 이야기하고 싶은 건 지금은 그 일로 엄마를 미워하지 않으니까 괜찮다는 이야기를 하고 싶은 거예요. 굳이 이 이야기를 꺼내는 이유는, 이 기억이 떠오르고 꽤 오랫동안 많이 괴로웠으니까, 언젠가는 엄마에게 이 얘기를 직접 하면서 엄마랑 대화해보고 싶었어요. 이렇게 얘기하게 되어서는 그저 일방적으로 제가 엄마 탓을 하는 것처럼 되어버렸지만, 사실은 내가 조금 더 안정적이게 되면 엄마에게 얘기해보고 싶었어요. 그냥 그렇게요, 이런 일 있었던 거 기억나, 엄마? 그래서 나 그때 힘들었다, 상담 선생님이 말씀하시기를, 저 일을 계기로 내가 다른 사람들한테 이야기를 잘하지 못하는 게, 힘들어도 누군가에게 털어놓지 못하고 끙끙 앓는 버릇이 굳어졌을 수도 있다고 그러시더라. 엄마, 좀 너무 했지? 하면서 그냥 털어내고 싶었어요. 정말로 괜찮아지고 난 다음에는, 그냥 엄마의 작은 실수였다고 서로 웃어넘기고 싶었거든요. 엄마가 이 일을 기억하고 계셔서, 엄마가 그때 무슨 생각을 하셨었는지 알 수 있다면, 그것도 굉장히 큰 수확이었을 것이고요. 이 이야기로 한참 그림을 그렸었어요. 시리즈로. 그때 저녁 늦게까지 혼자 실기실에 남아서 그림을 그릴 때가 많았는데, 그 시간이 어찌나 괴로웠는지 몰라요. 그런 날이면 늘 어김없이 울면서 그림을 그렸어요. 붓을 쥔 손이 캔버스 위를 휘적휘적하고 있을 뿐인데 마치 칼 같은 걸로 나를 찌르고 있는 것 같았어요. 내가 그렇게 괴로웠던 건 그저 안 좋은 기억이 떠올라서 그런 게 아니었어요. 엄마, 내가 괴로웠던 건 엄마를 미워하는 걸 견딜 수가 없기 때문이에요. 어떻게 나는 엄마를 미워할 수 있지? 이 못난 딸이, 이 바보 같은 딸이. 어떻게 엄마를 미워한단 말이지? 누군가는 계속 내 탓이 아니라고 이야기해주고 있었는데, 저는 계속 제 탓을 할 수밖에 없었어요. 엄마를 미워하는 나 자신이 밉다 뿐만 아니라 혐오스러웠어요. 잘난 거 하나 없는, 평생을 모자라던 딸이 제엄마를 미워하고 있다는 사실을 용서할 수 없었어요. 그래서 괴로웠어요. 엄마, 저를 용서하지 마세요. 미안해요. 미워해서 미안해요.

 엄마, 저는 다른 사람을 슬프게 하고 싶지 않아서 살아있었
어요. 그건 그거대로 고통스러웠어요. 저는 늘 싸워야 했어
요. 죽으라고, 죽으라고, 포기하라고, 그만두라고 늘 저를 닦
달하고 있는 저 자신과 조금만 더 힘 내보자, 조금만 더 버
텨보자, 조금만 더 견뎌보자 애쓰고 있는 저 자신과. 하루는
죽기를 바라는 사람이 제가 되어서 버텨보려 안간힘 쓰고 있
는 사람과 싸워야 했고 하루는 버티려고 애쓰는 제가 되어서
죽으라고 등 떠미는 사람과 싸워야 했죠. 결국에 모두가 같
은 사람이었지만요. 나더러 죽으라고, 죽으라고 애원을 하던
날에는 제가 그랬어요. 나는 죽을 수 없다고, 내가 죽으면 얼
마나 많은 사람들이 슬퍼하고 눈물을 흘리겠느냐구요, 나는
그걸 볼 수 없다구요, 너무 마음 아프다구요, 나 때문에 우는
많은 사람들을 나는 견딜 수가 없다구요. 그러니까 내가 또
그러더군요. 누가 너의 죽음에 눈물을 흘린다고 그래? 누가
슬퍼한다고 그래? 하물며 어떤 마음 여린 이가 눈물을 흘려
준다 한들 넌 죽으면 끝이잖아. 너는 그걸 볼 수 없잖아. 무
슨 상관이야? 매일 밤, 그리고 최근에는 밤낮 할 것 없이 계
속 싸워댔어요. 끝이 없더군요. 끝이 나려면 누군가 져야하잖
아요. 그런데 중재자가 나타나서 하는 말이, 양쪽의 말이 모
두 맞지만 살아있고자 하는 아이야, 너는 계속해서 이렇게

힘든 삶을 살게 될 거야, 너는 버티지 못할 거야, 니가 한발 물러선다고 해서 지는 게 아니야, 나는 니가 힘들지 않길 바래. 그러니 내가 그랬죠, 아아, 그렇구나. 나는 더 이상 힘들고 싶지 않아, 누구와도 싸우고 싶지 않아, 너에게 내 삶을 양보해 줄 테니 이제 가지고 떠나가렴. 누구도 이기지 않았고, 누구도 지지 않았어요. 저는 저에게 다른 해답을 주었어요. 마음이 편안해요. 사실 그 날을 손꼽아 기다리고 있어요. 무섭지도, 슬프지도 않아요. 그날을 기다리고 있을 뿐이에요. 참 어려웠어요, 살아있다는 거, 살아있어야 한다는 거.

엄마가 요새 부쩍 힘들어하고 계셔서 걱정이에요. 그래서 저는 또 하루씩 미루다 미루다, 결국엔 조금 먼 날로 계획을 잡아뒀어요. 그때쯤이면 괜찮아지지 않을까 싶어서요. 어찌 보면 말도 안 되는 소리지만 엄마가 저를 떠나보내는 일로 힘들지 않았으면 해요. 정말, 정말 말도 안 되는 소리죠? 그렇지만 그것만큼 바라는 게 없어요. 이 글에 어디까지 써야할지 모르겠어요. 어디까지가 엄마가 받아들이실 수 있는 한계점 일지 짐작이 가지 않아서요, 어쩌면 애당초 이런 글 따위가 없는 게 나을지도 모른다는 생각을 한 자 한 자 적을 때마다, 수 천 번씩 생각하고 있긴 해요. 제발, 제발, 제가 신을 믿었더라면 죽어서 그 앞에 찾아가 빌었을 거예요. 처음부터 이 세상에 제가 없었던 걸로 해주세요, 하고. 그래서 어느 누구도 제 죽음 앞에서 마음 쓰는 일이 없도록 해주세요, 하고. 그런 기적 같은 일은 일어나지 않겠죠? 어느 것 하나 무섭지 않은데, 오히려 그날을 전 지금 기다리고 있어요. 하루하루 지나가기를 기다리며 어느 때보다도 편안한데. 그런데 엄마나 아빠나, 우리 가족들, 내 친구들을 생각하면 그렇게 마음 아플 수가 없어요. 이제 그런 거 신경 쓸 힘도 없다고 생각했는데, 이건 힘이랑 관련 없나 봐요.

  깜깜한 밤에, 어딘지 모르는 낯선 곳의 벤치에 앉아서 생각했어요. 처음 보는 이곳이, 낯선 이곳이 나는 어딘지 모르지만 그래서 어디로 가야 할지를 몰라 마냥 앉아있지만 그럼 처음 보는 곳이 아니라면, 낯선 곳이 아니라면 나는 어디로 가야 할지를 알고 있었을까? 그럼 내가 하릴없이 이렇게 앉아 날이 밝아지기만을 기다릴 일이 없었을까? 엄마 저는 늘 혼란스러웠어요. 나는 누구고 어디에서 왔고 어디로 가야 하고. 저는 늘 궁금해했어요, 당신은 누구이며 너는 또 어디서 왔고 또 너는 어디로 가고 있는지. 엄마, 이게 그렇게 중요한 것일까요? 아마 저는 죽는 그 순간까지 답을 얻지 못할 것 같아요. 모르고 이대로 떠나도 되는 것일까요? 무슨 이야기를 하고 있는 건지 모르겠어요. 지금도 너무 혼란스러워서. 무슨 말을 하고 있는지 모르겠어요. 음, 그래, 그 날이었어요. 고등학교 때, 어느 여름의 밤. 집 앞에서 홀연히 사라졌던 날이요. 그날 밤새 길거리를 헤매면서 또 다른 의미로 저는 헤매고 있었어요. 내가 누구인지 알 수가 없었어요. 뭘까요, 저 뭘까요? 이게 저한테 왜 그리 필요했는지 아직도 모르겠어요. 누군가는 자신이 누군지 몰라도 잘만 살아가고, 또 누군간 고민 없이 자신이 어떤 사람인지 알고 있곤 하던데, 나는 어느 하나에도 속하지 못하고 이러지도, 저러지도 못하며 헤매기만 했어요. 걷다 걷다, 걷고 또 걷다 어딘가에 도착하게 되면 그곳엔 답이 있을 거라고 생각했어요. 그렇지만 그곳에도 아무것도 없더군요. 걸어서, 걸어서 끝으로 가고 있다고 생각했는데, 알고 보니 처음으로 다시 돌아온 것일 뿐이었어요. 어디에도 저라는 건 없더군요. 생각해보면 그렇더라구요. 온전히 나라는 인간을 위해서 살았던 적이 있었던가? 너무 어렸을 때의, 기억나지 않는 시기를 제외하고 제가 기억하는 한은 늘 그랬더라구요. 저, 늘 무언갈 원하고 있었어요. 다른 사람들 눈 밖에 나고 싶지 않아, 다른 사람에게 미움받고 싶지 않아, 다른 사람에게 사랑받고 싶어, 사람들이 나를 좋은 사람으로 기억해줬으면 좋겠어, 다른 사람들이, 다른 사람들이, 다른 사람들. 다른 사람들에게 나는 어떤 존재일까, 엄마에게 전 어떤 아이였어요? 어떤 사람이었어요? 저요, 어렸을 때 늘 엄마가 저를 못 미더워한다고 생각했어요. 엄마가 생각하는 저는 늘 바보 같고, 서투르고, 모자란 아이일 거라고. 그래서인지 성인이 되어서도 늘 그렇게 생각했죠. 나는 늘 모자라, 늘 내가 잘못했어, 나만 참으면 돼, 나만 조용하면 돼, 나만, 나만, 다 내 탓이야, 라고 생각했어요. 그래서 나는 무엇 하나 잘난 것 없는 못난 사람이 되어있었죠. 실제로는 그렇지 않았을지도 몰라요. 사실, 그렇지 않았던 것 같아요. 되돌아 생각해보니, 저는 생각보다 많은 사람들에게 사랑받고 보살핌 받고 있었다는 걸 알아요. 누군가에겐 내가 정말 중요한 사람이었고, 누군가에겐 내가 정말 의지가 되는 사람이었죠. 누군가에겐 내가 정말 대단한 사람이었고, 정말 착한 사람이었고, 정말 좋은 사람이었어요. 그렇지만 전 몰랐죠. 저는 늘 제 친구 관계에 대해 그렇게 생각하곤 했어요. 어쩌면 이 세상에 정말 신이란 존재가 있고, 그랬을 때에 신이 보기에도 나는 너무너무 모자란 게 많은 사람이기에, 저 아이를 도와주거라, 하고 내 주변에 너무도 많은 좋은 사람들을 보내주신 것이라고 생각했어요. 무언가 일이 잘 될 때, 무언가 기분 좋은 일이 생길 때, 무언가 성공했을 때, 저는 단 한 번도 그걸 제가 이룬 거라고 생각해 본 적이 없었어요. 늘, 누군가가 도와줬기 때문에, 혹은 운이 좋아서, 우연히 생겨난 일이라고 생각했죠. 정말 단 한 번도, 저 스스로 해낸 적이 없었을까요? 저에게 저란 존재는 항상 그런 식이었기 때문에, 저는 사람들에게 의존적일 수밖에 없었어요. 언제나 늘, 좋은 일들은 나에 의해 일어난 것이 아니라, 나를 둘러싼 많은 것들에 의해서 일어난 일이라고 생각했기에, 나

혼자서는 아무것도 해낼 수 있는 게 없다고 생각했죠. 그래서, 저는 뭐든지 혼자서 시작하는 게 두려웠던 거예요. 나는 아무것도 아니었으니까. 나는 혼자서는 아무것도 할 수 없는 아무것도 아닌 것이었으니까요. 늘 그렇게 생각했어요. 그래서 한편으로는 주변 사람들에 대한 무궁한 감사함을 지니고 있으면서 동시에 스스로에 대한 깊은 불신을 가지고 있었죠. 그 불신이란 게 얼마나 무섭고 끝이 없던지, 옆에 있는 많은 사람들이 내게 칭찬을 해주고, 좋은 평가를 주어도, 저는 그걸 곧이곧대로 들을 수가 없는 사람이 되어있었어요. 그게 그렇게 불편하더라구요. 이건 겸손함과는 다른 것 같아요. 그냥, 말도 안 되는 소리라고 생각하거나, 받아들일 수가 없었어요. 사람들이 저를 잘 모른다고 생각했어요. 내가 진짜 어떤 사람인지 안다면 당신들이 내게 이런 좋은 이야기를 할 수 없을 것이라고, 나는 아주 아주 못났고, 못된 사람이라고. 늘 저 스스로를 증오해온 탓인지, 불신해온 탓인지, 제가 느끼는 저라는 사람은 마치 악의 근원지 같은 느낌이었죠. 그래서 다른 사람들과 어울리는 게 두려웠어요. 제가 이 세상의 악이라고 한다면, 내가 다른 사람들에게 세상의 악을 퍼뜨리는 게 아닐까 두려웠죠. 누군가 나를 깊숙이 아는 게 두려웠어요. 내가 다른 사람들에게 검은 물을 들일까 봐서요. 저는 늘 그렇게 그런 것들을 노심초사하곤 했는데, 친구들은 저에게 수도 없이 많이, 고맙다거나, 저밖에 없다거나, 좋은 친구라거나, 착하다거나 하는 말들을 전하고, 또 저에게 기대고, 의지하곤 해요. 저는 악일까요, 선일까요. 사람들이 보는 저의 선함은 진정 선일까요, 아니면 꾸며진 선일까요. 지금의 저로서는 어느 것 하나 확언할 수가 없네요. 이렇다 하기에도, 저렇다 하기에도, 그냥 제가 하는 모든 말에, 모든 생각에 실체가 없다는 생각이 들어요.

언젠가 엄마가 나에게 '사람은 본래 고독하고 외로운 것이라.'라고 이야기했던 순간을 기억하고 있어요. 나는 울고 있었고, 힘들다고 하고 있었죠. 무엇 때문에 힘든지, 얼마나 힘든지도 이야기할 수 없었지만 저는 그저 힘들다는 말을 꺼내는 것만으로도 숨 쉬는 게 힘들 정도로 괴로웠을 때였죠. 그런데 엄마의 그 말을 듣는 순간 왠지 눈물이 쏙 들어가더라구요. 엄청난 절망감이 밀려왔어요. 그 이유의 첫 번째로 '사람은 원래 고독한 것'이라면 나는 평생 이 고독함과, 이 외로움과, 이 쓸쓸함과 싸우면서 살아가야 하는 것인가, 그게 참 절망스러웠어요. 자신이 없었구요, 두려웠어요. 그 두려움이 얼마나 크던지 지금 내가 힘든 게 아무것도 아닌 것처럼 느껴지더라구요. 울 필요조차 없다고 생각했어요. 힘들고 말고, 누구에게 매달려 울 필요 조차 없겠구나, 그런 삶이라면 포기하는 것 밖에는 내가 할 수 있는 게 없다고 생각했어요. 두 번째는 예전의 기억이 다시 되살아나더군요. 나는 그저,

엄마가 따뜻한 말 한마디 해주기를 바라며 그렇게 울었는지도 모르죠. 좋아질 거라는, 거짓말이라도 희망적인 이야기를 듣고 싶었는지도 몰라요. 그래서 나는 그날 엄마의 앞에서 목놓아 울어버렸는지도 몰라요. 저는, 늘 엄마에게 많은 이야기를 해주지 않으면서도 엄마가 내게 끈질기게 물어와 주길 기다리고 있었어요. 그렇지만 다시금 엄마는 사람은 본디 외로우며, 나는 그림을 그리니 더 그런 것일 수 있다, 라며 저를 타이르는 말씀을 하셨죠. 저는 그저 엄마가 많이 힘드냐며 저를 한 번 토닥여 주셨으면 좋겠다고 생각했어요. 그거면 정말 괜찮았어요. 물론 엄마가 나를 위해 해준 말이란 거알고 있어요. 그때에도 알고 있었지만, 그때는 너무 힘들 때였으니까 그런 말을 하는 엄마가 미웠어요. 전혀 힘이 나지 않아서, 그 말이 나를 더 힘들게 하는 말이었어서요. 시간이지나고 좀 좋아진 후에 다시 그 일을 떠올려보니 그게 엄마의 방식이었다는 생각이 들었어요. 아아, 엄마는 그런 식으로 자신을 타이르며 살아온 것이로구나, 모두들 그렇게 살아간다고, 모두들 외로워하고, 모두들 힘들어하며 살아간다고, 당신의 외로움도 그런 것일 뿐이니 서글퍼 말자고, 당신의 힘든 시기를 그런 식으로 이겨내 온 것일 수도 있겠다는 생각을 하니 엄마를 더 미워할 수가 없겠더라구요. 그게 어떤 마음이었는지는 정확하게 모르겠어요. 안쓰러움이었던 것 같기도 하고, 동질감을 느꼈던 것 같기도 해요. 좀 더 단정 지어 말하자면, 미워할 수 없었다기보다 미워하는 마음이 사라진 것 같아요. 언젠가 그런 생각을 한 적이 있어요. 엄마도 무서웠던 게 아닐까. 내 얘기를 들어주는 게 무서웠던 게 아닐까, 하구요. 참 이상하게 엄마가 그럴 거라고 한 번 생각이 들고 나면요. 다른 사람들에게도 이야기하는 게 무서워지곤 해요. 그래서 입을 꾹 다물고 살았어요. 마치 엄마 탓하는 것 같네. 어디까지나 저의 추측일 뿐이니까 엄마를 탓하진 않아요.

 엄마, 계속 제자리를 뱅글뱅글 도는 기분이 들었어요. 힘들었다가도 어느샌가 힘듦이 사라지고, 힘들지 않았다가도 다시 힘들어지곤 했죠. 다시 힘듦이 찾아올 땐 언제나 그랬듯이 곧 죽을 것처럼 위태롭게 지냈어요. 힘들 때에는 이러다가 또 말겠지, 하곤 어떤 노력도 없이 희망도 없이 언젠가 수그러들겠지, 무기력하게 시간을 보냈고 그러다가 수그러들었을 때엔 이러다 또 힘들어지겠지, 불안의 시간을 보냈지요. 어느 시간에도 희망은 없었고, 행복도, 사랑도 없었어요. 저에겐 불안과 불행과 나의 불운을 다른 이들의 시선으로부터 숨기기 위한 거짓과 가식밖에 남지 않았던 거예요. 나는 멀리 돌지도 못하고 제자리를 뱅글뱅글 돌았던 거예요. 불안과, 불행과, 불운 속을 뱅글, 뱅글. 뱅글. 뱅글. 엄마, 더 시간이 지나서는 그 밖으로 나가는 게 무서웠어요. 내가 불행에서 한 발 내딛으면 이 동그란 원이 내 발자국으로 인해 펑 터져서 나의 불행이 밖으로 퍼져나갈 것만 같았어요. 그래서 내 주변의 사람들이 불행해질까 봐 무서웠죠. 엄마, 이제 저는 불행을 터뜨렸고 터져 나온 불행들이 저를 잠식시켰어요. 그렇게 저는 죽어가고 있고, 저는 죽을 것이고 이 죽음으로 인해 사람들은 불행 속으로 빠져들겠죠. 터져 나온 불행이 이윽고 사람들을 불행으로 이끄는 것이에요. 그걸 알면서도 나는 이 죽음을 택할 수밖에 없겠어요. 사는 게 너무 힘들어서요. 죄송해요. 다른 사람들에게도. 사실 어떤 말도 해선 안 될 텐데도 저는 엄마에게 이렇게 많은 말을 남기고 가네요. 이것도 죄송해요. 이 편지가 엄마를 어떻게 만들지 모르겠어요. 그래도 시간이 지나면 엄마에게 또 다른 의미를 지닐 수 있게 되지 않을까, 쓸데없는 생각을 해봐요. 나를 조금은 이해해줄 수 있을까요, 엄마가. 억지로 이해하려 할 필욘 없어요. 세상에 백 퍼센트 이해할 수 있는 것은 그 어느 것도 없으니까. 그게 아무리 딸과 엄마 사이라고 하더라도 우리는 남이니까. 엄마가 내 인생을 살아본 것은 아니니까. 내가 엄마의 삶을 살아보지 못해서 엄마를 미워하고 엄마를 싫어했던 시간들처럼 엄마도 나를 미워하고 용서하지 못해도 좋아요. 그게 엄마의 마음을 편히 만들어줄 수 있다면 그렇게 해주세요. 안녕. 안녕, 엄마. 엄마 곁에 더 오래 있지 못해서 미안해요. 다음 생에는 우리 스쳐 가는 친구 사이 정도로 만나요. 서로의 기억 속에서 '그 친구 참 괜찮았는데.'하고 누구 하나가

죽더라도 마음 찢어질 만큼 아프지 않은 정도의 사이로요. 엄마의 딸로 태어나 엄마의 마음을 찢으며 떠나가서 미안해요. 죄송해요. 안녕.

## 작가의 말

 내가 작가의 말을 쓰게 되다니, 이 책을 진짜로 냈다니. 꿈결 같다. 무슨 생각으로 이 글을 쓰기 시작했더라. 그냥 마음속에 있는 걸 툭툭, 내던져 보고 싶었다. 죽고 싶단 생각을하는 것조차 엄벌을 받아야 할 죄라고 생각했던 예전의 나를 '괜찮아, 괜찮아.' 하고 달래주고 싶어 쓴 글인지도 모른다. 또, 나와 같은 생각을 하며 살아가는 모든 이들에게, '나 봐요. 이렇게 얘기해도 아무 일도 일어나지 않아요. 그러니까밖으로 나오세요. 나와서 얘기하고, 위로받고, 응원받으면서, 사랑받고 있다는 걸 충분히 느끼면서 우리 같이 살아봐요.'라고 얘기하고 싶었다.

 2017년 가을, 서울로 올라오고 우울증이 극에 치달았다. 그때에는 정신을 차리기 힘들 정도로 우울했다. 무엇이 나를그렇게 만들었는지는 모르겠다. 시기적으로 그랬을 수도 있고, 낯선 환경이 나를 그렇게 만들었을 수도 있고, 혼자 있는시간이 많아져 그랬을 수도 있을 것 같다. 내가 서울에 온후, 함께 살기로 했던 친동생이 한 달 동안 '제주도에서 한달 살기'를 위해 떠났다. 그 한 달 사이에 나는 배짝 배짝 말라갔다. 몸이 심상치 않음을 느끼고 다시 심리상담을 다니기시작했지만, 그마저도 내 우울감을 모두 상쇄시켜주기에는 턱

없이 모자랐던 것 같다. 얼마 지나지 않아 나는 결심을 했다. '죽어야겠다.'라고. 그건 내가 죽지 않고서는 이 괴로움이 끝나지 않을 거라고 생각해서였다.

2018년이 막 시작되었을 때, 유서를 썼다. 그때에는 가족들이 모두 너무 힘들어서, 내가 그 무렵 죽어버리면 가족들이 얼마나 더 힘들지를 재보느라고 나는 죽을 날을 조금 떨어진 날로 결정해두었다. 어쩌면 그게 지금까지 나를 살아있게 만들어 준 중요한 결정이었는지도 모른다. 그게 없었더라면 진작에 죽고도 남았을 만큼 그때의 나는 제정신이 아니었다.

매일같이 머릿속에서 알 수 없는 메아리들이 울려 퍼졌다. '죽어야 한다.'라고. 실제로 소리가 들렸다기보다 그 생각밖에 하지 못했던 것 같다. 나는 그 소리를 떨쳐버리기 위해 시도 때도 없이 머리를 흔들고, 바닥에 머리를 쾅쾅 내리찍었다. 울기도 많이 울었다. 다니던 상담도 핑계를 대며 그만두었다.

나는 되도록 일상적인 모습을 유지하려 애쓰면서, 그리고 동시에 죽음을 준비하면서 하루하루를 애써 보냈다. 매일 일기를 썼다. 남아 있는 사람들에게 남길 편지들도 적어 내려갔다, 지금은 엄마에게 썼던 편지밖에 남지 않았지만. 친구들을 만나 마지막 포옹이라고 생각하며 껴안고 돌아왔다. 제주도 한달 살기를 마치고 집에 돌아온 동생과도 시시콜콜한 일상을 함께 보냈다. 하던 공부를 끝마치기 위해 도서관에도 매일같이 나갔다. 그렇게 하루하루를 보내며 나는 주마등을 보듯 과거들을 자꾸 꺼내어 와 보았다. 그러다 문득 내가 잘못되어 가고 있다는 생각이 들었다. 내가 지금 무얼 하고 있는거지?

나는 포기했던 그림을 다시 그리기로 했다. 그렇게 하지 않고서는 살 수 없겠다는 생각이 들어서. 대신 그림을 그만두고 새로 도전하고 있던 심리학 공부를 포기했다. 죽으려고 마음먹었던 때의 글들을 토대로 그림을 다시 그리기 시작했고, 주변 사람들에게 말하고 다녔다. '나 죽으려고 했어.'

그 후로 나는 때때로 술을 마시고 다짜고짜 친구들에게 전화를 해 '곧 죽을 것 같아. 언제든지 죽을 수 있을 것 같다고.'라며 소리를 지르기도 하고, 말 없이 울기도 했다. 이 자리를 빌어 내 전화를 받아주고 묵묵히, 혹은 이따금씩 날 다그쳐주기도 했던 친구들에게 감사의 인사를 전한다. 그리고 그만두었던 심리상담을 다시 예약했고, 더 시간이 지나서는 병원을 다니기 시작했다. 양극성 감정 장애, 즉 조울증 진단을 받고, 약을 처방받아 먹게 됐다.

나는 지금도 일기를 쓰고, 이런 글들을 쓰고, 아직도 사는 건 쉽지 않다. 때때로 아무도 모르게 울기도 하고, 기분이 다시 가라앉을 때면 수면이 어딘지 기억도 못 하고 바닥만 쾅쾅 내리칠 때도 있다. 그럼에도 내가 살 수 있는 것은, 내가 일기를 쓰며 일상을 사랑하게 됐고, 이런 글들을 쓰면서 나를 돌봐줄 수 있게 되었고, 사는 게 쉽지 않더라도 어떻게 살아갈지 궁리할 수 있게 되어서. 그래, 이 글은 내가 살기 위해 쓴 글이다.

이 글에서 '엄마와 딸'이 주된 인물로 나오는 것은, 그리고 글의 끝에 내가 엄마에게 썼던 편지를 번외로 붙인 것은 어쩌면 나는 다른 누군가에게보다도 엄마에게 나의 우울을 이해받고 싶어서인 것 같다. 하지만 이 글을 엄마에게 보여줄 수 있을지 모르겠다. 엄마가 보시면 너무 마음 아플 것 같아서. 그래도 나는 보여주고 싶다. 어쩌면 내가 이 글을 책까지 펴낸 것에는 그 이유가 가장 큰 것 같다. 그래도 좀 그럴싸하게 책으로 내서 엄마에게 보여주고 싶은 욕심이 있었다.

책을 많이 팔고 싶은 욕심은 없지만, 많은 사람들이 봐줬으면 하는 마음은 있다. 글솜씨가 좋지 않아서 많은 사람들이 봐줄는지 모르겠지만. 봐주신 모든 분들에게 감사하다는 인사를 전하고, 그들의 삶을 응원해주고 싶다.

## 작가의 말2

　힘든 삶을 살아가고 있을 그대에게. 우리 엄마가 그러던데요. 삶은 원래 힘들고 고독한 것이라고. 그렇지만 나는 그렇게 생각하지 않아요. 원래 그렇다고 한다면 너무 쓸쓸하잖아요. 꼭 어떻게 해도 벗어날 수 없는 것만 같잖아요. 그러니까 난 그렇게 생각하지 않으려구요. 인생은 혼자 태어나 혼자 살아가고 혼자 죽는 것이라고 하지만, 길을 걷다 잠깐 고개만 들어보더라도 얼마나 많은 사람들이 길을 걷고 있던가요. 나는 그게 참 위안이 되더라구요. 저들 모두 나를 모르고, 저들 모두 나와 상관이 없고, 어쩌면 저들 모두 나와 다른 세상에서 살아가는 사람들일 뿐이지만 어쩌면 그러니까 우리 모두 같은 사람이 될 수 있는 것 아니겠어요? 저들에겐 나도 마찬가지인 사람일 뿐이니까요. 그렇게 생각하면 저는 조금 덜 외롭더라구요. 그러니까 우리 그렇게 생각해요. 불행한 일 투성이고, 슬픈 일 투성이고, 머리 아플 일 투성이지만요. 실제로 그렇지만요. 그 투성이들에게 가려진 내가 좋아하는 것들을 놓치지 말자구요. 나는 그런 것들을 되찾아가고 있어요. 그리고 점점 키우려고 노력하고 있어요. 불행하고, 슬픈 일들을 없앨 수 없다면 내가 좋아하는 것들을 더 많이 만들자고 생각하면서요. 가끔 상황에 치여서, 이런저런 일들에 치여서 쉽지 않을 때도 많지만 그래도 그런 생각을 해보는 것과 안

해보는 것에는 차이가 있더라구요. 잊지 말자구요. 나와 내가
좋아하는 것들을 잊으면 안 돼요.

　힘내요, 우리, 라고 얘기하고 싶지만 어떤 때는 힘내라는 말
조차 듣기 싫고 그게 더 힘이 들 때가 있더라구요. 그러니
여전히 힘을 내고 있는 당신에게 더 힘내란 말은 하지 않으
려구요. 그저 힘내며 살아가고 있는 당신을 응원하고 지지한
다고, 그렇게만 이야기하고 싶어요. 응원해요.

김민주 씀.